오리발 참전기

오리발 참전기

전용호 소설집

문학들

| 차례 |

오리발 참전기

1

    내 고향이 어디냐면 전라도 보성 회촌면 바닷가 마을입니다. 우리 집안 형편이 똥구멍이 찢어지게 가난했어요. 회촌에서 국민학교와 중학교를 겨우 마치고 광주에 올라와서 상고 야간을 다녔습니다. 학비를 벌기 위해서 낮에는 금남로에 있는 우래옥 식당 앞에서 구두를 닦았어요. 당시 우래옥이 광주서 제일 컸어요. 집은 학교 옆 계림동 산동네에서 자취했어요. 시골집에서는 학비는커녕 양식 한 됫박도 대줄 형편이 되지 못했어요. 할 수 없이 우래옥에서 나온 짬밥을 먹고 살았어요. 지금은 비닐이 널려 있지만 그때는 비닐도 귀했어요. 우래옥 뒷마당에 가면 손님이 먹다 버린 찌꺼기를 모아 놓은 커다란 통이 있어요. 그럼 주인 몰래 통에서 짬밥을 비닐에 잔뜩 퍼서 집에 가지고 왔어요. 그 짬밥을 솥에 넣고 푹푹 끓입니다. 요즘 같으면 개밥도 못됩니다만 그런대로 먹을 만합니다. 그 짬밥 먹고 학교에 갔고, 아침에 일어나면 또 짬밥 먹고 구두닦이 통 짊어지고 나갑니다. 구두 닦는 데도 구역이 있어요. 구역을 지키기 위해 싸움도 많이 했습니다. 그러다 보면 얻어맞기도 했어요. 그렇게 살면서 학교를 다녔으니 생활이 말이 아니었죠. 어쩌다 학교 친구가 자기 집에 놀러가자고 해서 들어가면 다른 것은 안 보이고 밥만 보였어요. 반찬도 안 보였어요. 친구가 밥 먹자 그러면 그냥 게눈 감추듯이 해치워 버렸어요.

그러다 75년 1월 고등학교를 졸업하고 그해 9월에 군대에 갔어요. 남들은 군대 가면 두들겨 맞으니까 가기 싫다고 한다지만 나는 배고파서 군대 갔어요. 군대 가면 밥은 주겠지, 그래서 자원해서 사병으로 입대를 했어요. 그런데 사병 생활도 도저히 배가 고파서 참기 힘들더군요. 지금 군대가 많이 좋아졌다고 합디다마는 그때만 해도 밥을 주먹만큼밖에도 안 줬어요. 정말 사람 같지 않은 놈들이 별 달고 있으면서 쌀 팔아먹고 기름 팔아먹고 하니 병사들 밥상에 고기반찬이 제대로 올라갔겠습니까. 그래도 사회에서처럼 밥을 굶지는 않았어요.

제대를 하고 사회로 나가 볼까도 생각해 봤지만 몸을 비빌 데가 도저히 생각나지 않아서 포기하고 말았지요. 그래서 결국 헌병 하사를 지원했어요. 그 길이 그나마 굶지 않고 살 것 같았어요. 헌병이 되어 중사까지 근무했어요. 그런데 또 장교를 뽑는 단기 사관 코스라는 것이 있더군요. 기왕에 군대에 발을 딛었으니까 장교가 되자고 맘을 먹었죠. 단기 사관 시험공부를 열심히 해서 1등으로 합격했어요. 보병학교에 가서 교육을 받고 소위를 달았지요. 소위 임관해서 전방에 가서도 공부 열심히 했어요. 다른 사람들이 한 시간 공부하면 나는 두 시간 했어요. 왜냐고요? 그것은 내가 고등학교밖에 못 나왔기 때문이에요. 그 다음은 지랄 같은 출신 성분 때문이에요. 출신 성분이 전라민국이라는 것 때문이었어요. 나중에 그놈의 출신 성분 때문에 내 인생이 브레이크가 걸리고 맙니다. 나는 지금도 누가 전라도라 그러면 굉장히 싫어합니다. 오로지 전라민국이라 부릅니다.

내가 장교가 되어서 소대장을 36개월이나 했어요. 보통 소대장은 12개월이면 끝납니다. 소대장을 마치고 나면 좀 더 편한 보직으로 옮겨 줍니다. 그런데 내가 상관을 잘못 만났어요. 그 상관은 경상도 출신 소령인데, 그야말로 야비하기 짝이 없는 놈이었어요. 나중에 소문을 들어보니 그래도 장군으로 진급한 후 제대했다고 하더군요. 이 사람이 내 소대장 보직을 안 풀어 줘요. 소대장 1년을 마치면 다들 다른 보직으로 이동하는데 나만 안 풀어 줘요. 꾹 참고 1년을 더 했어요. 그런데 또 안 풀어 줘요. 그래서 따졌어요. "참모님, 다른 사람은 12개월만 해도 다 풀어 주면서 나는 왜 24개월을 해도 소대장을 안 풀어줍니까?"라고 하니까 들은 척도 안 해요. 아, 이것이 군대구나라는 생각이 들면서 가슴 저 밑바닥에서 뭐가 치솟아요. 그래도 어쩔 수 없잖아요. 또 12개월을 더 했어요. 소대장을 한 지 만 3년이 되는데도 풀어 줄 낌새가 안 보여요. 그러자 더 이상은 못 참겠더라고요.

그날 밤 총과 수류탄을 들고 그놈 숙소로 쳐들어갔어요. 그리고 멱살을 쥐고 쌍욕을 했어요. "이 상놈아, 내가 전라민국 사람으로 태어난 것이 뭔 죄냐? 이 조그만 나라에서…"라고 시작을 했어요. 그리고 "너 죽이고 나 죽을란다, 같이 죽어 불자…!" 그랬어요. 그때 나는 진짜로 같이 죽을 작정이었어요. 혼자 죽어 버릴까 생각도 했지만 원통해서 못 죽겠더라고요. 그래서 수류탄을 갖고 가서 같이 죽으려고 그랬더니 그놈이 그냥 무릎 꿇어 버리더군요. 그 비겁한 놈의 자식이…, 그래서 내가 "무릎을 꿇어 버려, 무릎 꿇는다고! 육군 소령이 중위한 테 무릎 꿇어! 뭐, 잘못했어! 쌍놈의 자식, 아, 비겁한 놈!"이라고 욕을 뱉어주고는 나와 버렸지요. 비겁해서 죽일 가치도 느껴지지 않더군요. 그 다음 날 바로 보직이 풀려 버리더군요. 그것이 당시의 대한민국 군대였어요. 그래가지고 내가 그렇게 비겁한 놈하고 함께 살지 않겠다고 수색대로 보내 주라고 했지요. 그래서 수색대로 옮겨 팀장을 했어요.

2

1979년 10월 26일, 20사단 수색대 팀장을 맡고 있었는데 사단 본부에서 전화가 왔어요. 즉시 밴딩된 실탄을 모두 풀어서 가지고 연대 앞으로 집합하라는 것이었어요. 밴딩된 실탄이란 박스에 납땜해 놓은 실탄입니다. 경계용 실탄이 아니라 실제 전투용 실탄이죠. 당시 우리 수색중대 캡틴이 외박 나가 있었어요. 그래서 내가 캡틴 역할을 하게 되었죠. 내가 부하들에게 '차량 전부 가동하고 밴딩한 탄환 다 풀어.'라고 명령했습니다. 그렇지만 이상한 생각이 들었어요. 왜, 밴딩된 탄환을 풀라고 할까? 혹시 진짜로 전쟁 터지는 것 아닐까? 그런 생각을 하면서 연대본부 앞에 가니까 장갑차까지 출동해서 난리가 난 상태였어요. 그곳에서 연대장을 만났어요. 연대장이 나를 보고 엄지를 거꾸로 들고 바닥으로 내리꽂는 흉내를 냈어요. 대통령이 죽었다는 표시예요. 나는 깜짝 놀라지만 내색을 할 수가 없었어요. 이어서 연대장이 큰 소리로 "야, 수색대 팀장, 나도 자세한 상황은 모르지만, 서울에 난리가 났다고 한다. 우리 사단이 한시라도 빨리 들어가서 서울을 지켜야 한다. 그러니 너는 우리가 전진할 때 앞에서 걸리적거리는 놈들이 있다면 누구든지 사살해도 좋다!"라고 명령을 내리더군요. 나도 "쌍놈의 새끼들, 누구든지 우리들을 방해하면 즉각 처리하겠습니다!" 라고 큰 소리로 맞장구를 쳤어요. 우리는 즉시 서울로 출발했어요. 양평 팔당댐을 1개 사단이 밤에 환하게 불을 켜고 이동한다고 생각해 보십시오. 가관이에요. 그렇지만 사실은 나도 속으로는 겁이 났지요. 왜냐하면 내가 제일 앞에서 걸리적거리는 놈을 처치해야 되니까, 거꾸로 공격을 당한다면 내가 제일 먼저 죽을 것이기 때문이지요.

그때 우리는 무전기로 통신을 하고 다녔어요. 평소 무전기 소리는 적게 들리지만 주먹 크기의 증폭기를 달면 소리가 뻥뻥 울렸어요, 전진, 후진 등 명령 내리고 대답하는 말 모두 크게 울려서 뒤에서 지휘하는 사단장도 다 듣고 있어요. 그렇게 거침없이 앞으로 가고 있는데 검문소가 나타나더군요. 망우리 근처 검문소였는데 수도군단 소속 헌병들이 지키고 있었어요. 그래서 내가 "셋 셀 때까지 손들고 투항하지 않으면 106미리로 박살을 내 버리겠다!"라고 엄포를 깠죠. 내 뒤에 106미리 무반동총부대가 따라와요. 나는 수색대 팀장이라 지프차에 탄 채로 M60 기관총을 들고 앞에서 거들먹거리면서 폼을 잡고 갔어요. 내가 손들고 나오라고 큰소리치니까 그들이 대항하려다가 우리 행렬을 보고 깜짝 놀라 바로 투항하더군요. 그것이 바로 무력시위에요. 장갑차를 맨 앞에 포진하고 그 뒤에 수십 대의 지프차와 트럭이

따라오는데 차 위에는 얼굴에 시커멓게 먹칠을 한 군인들이 M16과 기관총까지 들고 끊임없이 이어져서 오고 있으니 헌병들이 얼마나 놀랐겠어요.

사시나무 떨듯이 떨고 있는 헌병들을 가만히 바라보니 내가 헌병학교 구대장할 때 가르친 부하들이더라고요. 헌병들도 나를 알아보고 "아이고, 구대장님!"하고 반색을 하더군요. 그래서 "야, 너희들 왜 그렇게 완전무장하고 있느냐?"고 물었지요. 그랬더니 자기들도 본부로부터 군인들이 검문소를 통과하지 못하도록 지키라는 명령을 받았다는 거예요. 나는 "우리도 앞에서 막는 자들이 있으면 무조건 쏴 버리라고 그랬는데, 우리끼리 싸우지 않아 다행이다!"라고 말했지요. 그 헌병들이 예전 내 부하들 아닙니까, 내가 상관이었으니까. 그래서 "너희들 이리 와라, 이제부터 너희들은 우리 부대의 포로다." 그렇게 말하고 한쪽에 가둬 두고 또다시 앞으로 전진했어요.

그때 무전기에서 육사 쪽으로 전진 방향을 바꾸라고 하더군요. 당시 전령이 서울에서 농구선수하다 군대 온 놈이에요. 보통 사람보다 키가 한 뼘쯤 더 컸어요. 다른 사람들은 전령이라고 하면 얼굴 예쁘장한 놈 시켰는데, 나는 안 그래요. 전령이 위급한 상황일 때 나를 도와주어야 할 놈이기 때문에 체력이 좋은 병사를 뽑았죠. 마침 전령이 서울 출신이라 길도 잘 알았어요. 무전기에서 육사 쪽으로 방향을 바꾸라고 하니까 전령이 태릉 쪽으로 가면 된다고 하더군요. 그렇게 방향을 정하고 전진했죠.

나는 원래 상관이 시키는 대로 합니다. 내가 검문소에서 헌병들 제압한 것을 상대편에서는 이미 알았을 것이에요. 그쯤 되면 나도 우리의 적이 누군지 눈치챘죠. 우리가 상대해야 할 적은 바로 정승화 참모총장 휘하 부대라는 것이죠. 그렇다면 우리는 전두환 보안사령관 편이겠지요. 우리가 태릉에 도착하니까, 장교들 모두 집합하라는 명령이 떨어졌어요. 그때 도착시간이 새벽 2시쯤 되었을 거예요. 연대장이 집합한 장교들을 데리고 육사로 들어갔어요. 육사 안에 화랑관인가 충무관인가라는 강당이 있더군요. 거기에 우리 장교들을 다 집합시켰어요. 그러더니 행렬 뒤에서, 별이 두 개 달린 모자를 쓰고 박준병 사단장이 마치 2차 세계대전에서 나오는 롬멜 장군이나 되는 듯이 뚜벅뚜벅 걸어 나오더군요. 그때만 해도, 사단장이 직접 나타나서 지휘를 하니 우리 같은 대위들은 꼼짝 못했죠. 사단장이 단상에 서더니, "지금부터 나의 명령을 따르라. 우리는 누구 편도 아니다. 우리 아니고는 모두가 적이다!"라고 말하더군요. 나는 1988년 TV에서 청문회 보기 전까지는 박준병 사단장의 말을 찰떡같이 믿었어요.

그날부터 우리들은 주먹밥으로 끼니를 때우면서 태릉 숲속에서 한 이삼일 있었을 거예요. 그 후 국민대, 경희대, 외국어대에 배치가 되었어요. 우리 사단이 그 세 대학을 담당한 것이죠. 그때 우리는 보통 경찰들이 가지고 다니는 경찰봉과 다른 시위 진압봉을 가지고 있었어요. 일반적인 경찰봉 크기는 어른 팔 길이 정도 되지만 우리가 갖고 간 진압봉은 양팔을 벌린 크기에다 단단한 박달나무로 만든 것이에요. 우리 진압봉으로 머리를 정통으로 한 대 맞으면 죽습니다. 우리 수색대가 맨 처음 들어간 곳은 경희대예요. 지금도 기억납니다. 경희대 교문은 돌로 쌓아 멋있더라고요. 조금 올라가면 체육관이 있었어요. 우리는 새벽에 경희대에 쳐들어가서 체육관에다 진을 쳤어요. 체육관 뒤에는 학군단이 있었죠.

당시 우리는 시위하는 대학생들을 진압하는 데 화염방사기를 썼어요. 화염방사기로 불을 뿜는 것이 아니라 색소가 있는 물을 넣어요. 학생들이 시위를 할 때 주동자로 보이는 학생들에게 색소 물 화염방사기를 쏘아 대요. 수압이 상당히 셉니다. 그러면 시위하는 대학생들 옷에 물이 들어요. 그러면 대열을 이루어 앞으로 나가면서 학생들을 때려잡았죠. 시위 학생들을 잡을 때 학익진이라고 학이 날개를 활짝 펴고 날듯이 넓게 퍼져나가는 그런 대열을 이루는 군대용어가 있어요. 물감 넣은 화염방사기로 시위하는 학생들을 구분하고 쫓아가 잡아서 수위실 뒤에 무릎을 꿇려 놓고 진압봉으로 때려요. 시위 진압 지침에는 진압봉으로 구타할 때는 허벅지를 두들기라고 합니다. 하지만 우리 군인들도 감정이 있는 사람이잖아요. 처음에는 허벅지만 때렸지요. 그러다 화가 나고 짜증이 나면 등짝도 때리고 머리도 때려요.

그 다음 북악터널 근처 비탈진 곳에 있는 국민대학과 동대문 근처에 있는 외국어대학으로 갔어요. 지금도 기억이 생생하네요. 날마다 하는 일이 대학생 잡아 두들겨 패는 일이었어요. 두들겨 팬다는 표현이 좀 거칠게 들리겠지만 사실이니 어떻게 하겠어요. 데모하는 학생들은 빨갱이라고 하니 가만둘 수가 없었죠. 아버지가 6·25전쟁 때 인민군 총에 맞아서 한쪽 팔이 없어요. 그 덕에 거지 같은 학창 시절을 보냈으니 빨갱이 놈들 잡으면 죽이겠다고 결심했죠. 우리들은 TV도 못 보고 라디오도 듣지 못해 세상 돌아가는 소식을 알 수가 없었어요. 위에서 시키는 대로 했어요. 10·26사태로 서울에 출동해서 1980년 2월 초까지 있었어요. 얼굴에 면도도 못하고 옷도 제대로 갈아입지 못했으니 사람 꼴이 아니었죠.

　　3

　　80년 5월 15일, 또 서울로 출동했어요. 17일 밤 자정부터 계엄령이
전국으로 확대되면서 대학에 휴교령이 떨어졌어요. 우리 사단은 또다
시 국민대, 경희대, 외국어대에 진주했어요. 우리는 학교 운동장에 텐
트를 치고 야영을 하면서 교문을 막고 학생들이 들어오지 못하게 했
어요. 서울은 물론 전국의 모든 대학교를 군인들이 점령하고 있어서
분위기가 어수선했지만 서울에서 시위가 터지지는 않았어요.
　　5월 21일, 나는 부관과 함께 국민대에 있었어요. 저녁이 되어 어둠
이 밀려드는데 갑자기 무전기가 삥삥 울려요. 무전기에서 숫자로 된
암호가 쏟아지더군요. 암호를 풀어 보니까 지금은 서울공항이 되었는
데 그때는 군용이던 성남비행장으로 부하들을 데리고 집결하라는 것
이에요. 그 길로 경희대학교 체육관에 텐트 치고 있던 대원들을 데리
고 비행장으로 갔죠. 비행장에 도착하니 고물 비행기가 기다리고 있
더군요. 2차대전 때 쓰던 구닥다리 비행기인데 미군이 쓰다 버린 것이
에요. 우리 팀 33명이 그 비행기에 탑승하도록 편성이 되어 있더군요.
우리는 목적지가 어디인지도 모른 채 비행기에 탔어요. 아무도 행선
지를 알려 주지 않았어요. 광주가 행선지인 줄은 꿈에도 몰랐죠.
　　비행기에 올라가니까 문을 밀폐시켜 놓은 것이 아니고 바로 열 수
있도록 미닫이문처럼 달아놨더군요. 그것은 언제든지 비행기에서 바

로 뛰어내릴 수 있도록 해놨다는 의미에요. 그때까지는 북한에 넘어가는 줄 알았어요. 서울에서 출발해서 1시간 이내에 개성에 떨어지고, 평양에 떨어지고, 원산에 떨어지고 그렇게 북한의 후방에 침투한다는 의미로 받아들였죠. 당시 나는 손톱깎이가 달려 있는 열쇠고리를 갖고 다녔어요. 야전생활을 하다 보면 손톱깎이가 필요해요. 지금도 버릇이 되어서 항상 갖고 다녀요. 그래서 내가 부관에게 손톱깎이를 주면서 부대원들의 머리털과 손톱을 가지고 오라고 했어요. 머리털 몇 가닥씩 뽑고 손톱을 조금씩 잘라서 가지고 오라는 것이었죠. 잠시 후 부관이 가져온 머리털과 손톱을 바닥에 놓고 부하들과 함께 절을 했어요. 혹시 마지막이 될지도 모르니까 부모님께 인사를 드린다는 뜻이었죠. 그러자 부하들이 눈물을 흘리더군요. 지금도 그때를 생각하면 부하들의 슬픈 눈동자들이 생각나면서 가슴이 뜨거워져요.

　나는 부하들과 군인이 아니라 피붙이 형제처럼 지냈어요. 이름 부를 때도 김병장, 이상병 그렇게 안 불렀어요. 개똥아, 소똥아! 이렇게 이름을 불렀어요. 그렇게 다정하게 살았어요. 그런데 언제 죽을지 모르는 상황이 되었으니 상당히 답답한 심정이었죠. 원래는 비행기 안에서 담배를 못 피게 합니다. 그렇지만 죽으러 가는데 뭣을 못 하겠어요. 그래서 '우리 마지막이 될지도 모르니까 담배라도 같이 피자.'고 담배를 한 개비씩 나눠 줬어요. 평소에는 내 앞에서 부하들이 담배를 안 피웠어요. 나와 부하들은 군대의 상관과 부하 사이가 아니라 형제처럼 지냈기 때문이에요. 그렇지만 그날은 모두 함께 담배를 피웠어요. 그렇게 50분 가량 지났는데 유리창 너머로 바라보니 저만치 아래에서 벌건 불빛이 일렁거려요. 나는 북한 공산당 군인들이 대공사격을 하는구나!라고 생각했지요. 두렵지 않았지만 착잡한 심정이었어요.

　비행기가 착륙하려면 비상등에 빨간불이 들어오면서 핑― 핑― 하고 기분 나쁜 소음이 들려요. 패트롤카에서 나는 윙윙하는 소리와 약간 달라요. 그런데 비행기가 착륙하려는 조짐이 보이지 않아요. 분위기가 이상해서 내가 조종실 문을 열고 도대체 어디로 가느냐고 물었어요. 우리가 어디에 내려서 무엇을 해야 하는지 알아야 작전 계획을 수립할 수 있잖아요. 그런데 종착지도 활동 목표도 알려 주지 않으니 답답하잖아요.

　당시 조종사가 소령이고 부조종사가 중위예요. 내가 부조종사 헤드를 벗겨가지고 "우리 어디로 떨어질 거요?"라고 물었지요. 헤드가 벗겨져도 부조종사가 대답을 안 하기에 그냥 쌍욕을 하고 말았어요. 전쟁 중이기 때문에 이것저것 가릴 때가 아니었어요. 이번에는 조종사에게 다가가 헤드를 벗기고 물었어요. 조종사 계급이 소령이니 나보다 상관이었지만 그때는 눈에 보이는 것이 없었어요. 죽음이 우리 코앞에 있다는 생각밖에 없었어요. 나뿐만 아니라 32명 부하들 목숨까지 달려 있잖아요. 부하들이 나만 지켜보고 있어요. 그래도 조종사가 대답을 안 하기에 내가 또 쌍욕을 했죠. 그랬더니 "광주!"라고 짧게 말하더군요. 광주가 목적지라는 말을 들으니 머리에 총을 맞은 것처럼 충격이 오더군요. 광주는 나의 제2의 고향인 셈이잖아요. 그런데 광주에 간다니 놀라지 않을 수가 없었죠. 내가 다시 조종사에게 "뭐하러 광주 가?"라고 물었어요. 북한인 줄 알았는데 광주 간다고 하니 조짐이 이상하잖아요. 그러니까 조종사가 "지금 광주에서 난리가 났다!"고 하더군요. 그래서 뭔 소리냐고 다시 물어보니 "지금 광주에서 폭동이 일어나 MBC방송국도 불타고 세무서 건물도 불타고 있다는 것이에요. 아까 땅에서 대공사격하는 줄 알았던 벌건 불빛이 바로 그 화염이었던 것이죠."

잠시 후 우리 비행기가 광주 상공에 도착했어요. 비행기 아래로 여기저기 벌건 화염과 불빛들이 보여요. 그 화염은 광주 폭도들이 저지른 불이라고 해요. 광주 폭도들이 차를 몰고 군인들을 향해서 돌진하며 공격해 들어온다는 것이에요. 내가 화가 머리끝까지 나서 '이 쌍놈의 새끼들, 내가 내려가기만 하면 요놈의 새끼들 가만두지 않겠다!'고 마음을 먹었죠. 그런데 비행기가 바로 내리지 못하고 공중에서 빙빙 선회를 해요. 왜 안 내리냐고 물어보니 광주 폭도들이 비행기를 향해 총을 쏘아댈지 모르기 때문에 확인하느라고 그랬다는 것이에요.

한참 후에 비행기가 착륙했어요. 새벽이 다 되어 동이 트기 시작하고 있었어요. 비행기에서 내려서 주위를 둘러보니 보리가 새파랗게 자라고 있더군요. 공항 입구에 도로 양쪽으로 가로수가 심어져 있었어요. 지금은 광주공군비행장 입구에 있는 나무가 무척 커서 볼만하지만 당시는 조그마한 했어요. 아침이 되자 공항 앞 송정리에서 광주로 나가는 도로에 사람들이 가득 차 있더군요. 사람들 사이에 버스와 트럭도 수십 대가 서 있었어요. 겉이 빨간 광주고속도 여러 대 서 있더군요.

4

5월 21일, 광주 폭도들이 아시아자동차 공장에서 조립 중이던 수십 대의 트럭에다 시내에서 합세한 버스와 택시를 몰고 폭도들을 모아 오기 위해 광주를 빠져나가 화순, 나주, 영암, 강진, 무안, 목포, 해남, 완도, 함평, 영광까지 원정을 나갔어요. 그러다가 오후 1시 도청에서 공수부대가 총을 쏘기 시작하자 전남 각지에 나가 있던 폭도들이 예비군 무기고를 털어 무장을 시작했죠. 그날 오후 총으로 무장한 폭도들이 광주로 들어와 군인들한테 총을 쏘면서 공격해 오자 오후 5시에 할 수 없이 광주 시내를 철수하게 되었어요. 그 후 우리 20사단이 기차와 비행기를 타고 광주에 도착해서 밤 늦게부터 다음 날까지 광주외곽에 배치가 되었어요. 광주에서 서울로 가는 도로가 있는 장성터널과 나주로 나가는 남평 앞 도로, 광주에서 송정리로 나가는 화정동 앞 도로를 우리 사단이 맡았지요. 담양으로 나가는 교도소 앞 도로와 화순으로 나가는 지원동 주남마을 앞 도로는 공수부대가 지켰어요. 우리 사단이 지킨 곳은 사상자가 별로 나지 않았는데 공수부대가 지킨 곳에서는 사상자가 많이 나왔어요. 공수부대 놈들이 지나가는 시위차량을 향해 무조건 쏘아댔다고 봐야죠.

22일 군인들이 광주로 들어가는 진입로를 막자, 전남 지역으로 나갔던 폭도들이 광주로 진입하지 못하고 있었어요. 그중 영암, 강진, 해남, 목포, 함평 등에서 출발하여 광주로 진입하려던 폭도들이 나주에 집결하여 날을 새고 광주의 남서쪽 도로를 타고 송정리로 집결하기 시작했어요. 인원이 수백 명에 차량이 백대가 넘는 규모였어요. 그때 우리 부대가 송정리에서 광주로 진입하는 광—송 간 도로에 철조망으로 바리케이드를 치고 지켰어요. 당시 그 길은 송정리에서 광주로 가는 유일한 도로였고 그 외에는 농로밖에 없었어요. 폭도들이 광—송 간 도로를 지나간다 해도 우리 부대가 시내 경계 지점인 화정동 앞 도로를 지키고 있어서 광주 시내로 들어간다는 것은 불가능한 상황이었어요.

그날 송정리는 나주와 함평 방향에서 들어온 시위 차량에 탑승한 폭도들과 지역 주민 수천 명이 합세하여 마치 폭동의 소용돌이로 휩싸인 도시 같았어요. 총을 들거나 각목을 든 수백 명의 폭도들이 버스나 트럭의 외벽을 땅땅하고 때리면서 구호를 외치면서 시내를 배회하고 송정역 광장에는 수백 명의 사람들이 모여서 웅성거리고 있었죠. 대형 태극기를 흔들면서 노래를 부르는 세일러복의 여학생도 있었어요. 우리 부대는 비행장과 광—송 간 도로만 겨우 지키고 있었죠.

그때 우리 수색대가 광—송 간 도로에 투입이 되었어요. 당시에는 아무 영문도 몰랐어요. 광주에 폭동이 일어났다니까 그런 줄만 알았죠. 광—송 간 도로가 무슨 도로인지도 몰랐어요. 그 도로에 사람들이 가득 차 있어요. 그래서 저놈들이 모두 폭도들이면 다 죽여야겠다고 생각했어요. 잠시 후 출동을 했어요. 가서 보니까 백 명 이백 명이 아니고 철조망 너머로 저 멀리 시내까지 사람들로 꽉 차 있어요. 게다가 총까지 들었어요. 그래서 내가 속으로 '오메, 저놈의 새끼들, 진짜 폭도들이구나!'라고 생각했지요. 비행기 조종사한테 들었던 북한에서 내려온 빨갱이들이 사주해서 광주 시민들이 폭동을 일으켰다는 말이 떠올랐어요. 폭도들은 경찰들이 데모 진압할 때 쓰는 방석모를 머리에 쓰고 있었어요.

　그때 폭도들이 총을 쏘았어요. 핑핑하고 총소리가 나면서 진짜 총알이 날아왔어요. 총은 구식 카빈총이에요. 나도 고개를 숙여 피했죠. 총에 맞으면 죽으니까요. 그런데 연대장이 폭도들하고 협상하러 간다고 하더군요. 내가 옆에서 수행하고 따라갔죠. 연대장이 철조망 앞으로 다가가 메가폰으로 대화를 제안했어요. 잠시 후 폭도 측에서 대표로 추정되는 사람들 몇 명이 가까이 다가왔어요. 폭도 대표단하고 연대장이 협상을 시작했어요. 폭도들의 요구 사항은 부상당한 환자들을 국군통합병원에 보내서 치료해 주고 광주로 들어갈 수 있도록 바리케이드를 열어 달라는 것이었어요. 나주에서 송정리로 오는 도중 버스가 전복해서 부상자가 많이 발생했다는 거예요. 그러자 연대장이 잠깐 기다려 봐라 회의를 하고 대답해 주겠다고 했어요. 연대장이 돌아와서 지휘관들과 모여서 회의를 했어요. 지휘관들은 폭도들이 총과 무기를 반납하면 통합병원과 광주 시내로 들여보내겠다고 결론을 맺었어요.

　다시 협상이 시작되었어요. 연대장이 총과 무기를 반납하면 요구 사항을 다 들어주겠다고 했어요. 그러자 폭도 대표들이 자기들도 회의를 해야겠다고 시간을 주라고 했어요. 폭도들도 강경파와 온건파가 있어서 의견이 제각각 달랐겠지요. 우리 군인들도 강경파와 온건파가 있어요. 강경파는 폭도들을 향해서 총 쏘아불자고 해요. 온건파들은 그러면 안 된다. 폭도들이라 하더라도 국민들이니 치료해 줘야 한다고 해요. 잠시 후 폭도 측에서 우리의 조건을 들어주겠다고 통보가 왔어요. 폭도들도 다른 방안이 없었던 것이죠.

폭도들이 내건 조건은 총을 반납할 테니 연대장이 직접 와서 가져가라는 것이에요. 우리 부대와 폭도가 서로 50미터 가량 사이를 두고 대치하고 있고 그 가운데에 두 겹으로 원형 철조망을 쳐 놨어요. 말하자면 비무장지대죠. 폭도들이 총을 걷어서 비무장지대인 중간 지점에서 지프차에 실어 줄 테니까 연대장이 직접 무장해제하고 와서 가져가라는 것이에요. 그 말을 들은 연대장이 얼굴이 순간적으로 누렇게 된장색으로 변해 버립디다. 내가 똑똑히 봤어요. 사람 목숨이 하나밖에 없는데, 연대장이라도 겁이 났겠죠. 그렇지만 연대장이 그 조건을 거절할 수 없었죠. 기왕지사 자기가 주도한 협상이었으니까요.

연대장이 권총 빼서 놓고 탄띠 풀고 맨몸으로 중간 지점으로 갔죠. 그때 총은 백여 정 쌓여 있었어요. 그때 내가 연대장 옆에 서 있었어요. 그러자 폭도 대장이 '우리 총 반납했으니까 환자들을 통합병원에 데려다 주세요.'라고 말했어요. 그러더니 나를 보고 "거기 마크 찬 대위, 당신이 우리 환자들을 병원 데려다주고 오시요. 그동안 연대장은 우리가 보호하고 있을 테니까."라고 말하는 것이 아니겠어요. 연대장을 인질로 삼겠다는 것이에요. 그러자 연대장 얼굴이 또 된장색이 됐어요. 잘못되면 총 맞아 죽을지도 모르는 상황이잖아요. 죽음 앞에 장사 없는 법이잖아요. 내 얼굴도 순간적으로 된장색이 됐어요. 그렇지만 나를 죽일 이유가 없잖아요. 나는 환자들을 병원에 데려다주고 오면 되니까요. 그렇게 세 번을 왔다 갔다 했어요. 환자들이 많았어요. 그때 폭도들로부터 백 여정의 총과 여러 대의 차를 회수했어요.

오후가 되자 지휘관들이 모여서 회의를 하더니 계속 이렇게 수세에 몰려 있을 수는 없으니 송정리를 쓸어버리자고 그래요. 쓸어버린다는 것은 소위 군인들이 잘 쓰는 전투 용어예요. 먼저 공격하여 송정리 시내를 우리 군인들 점령 지역으로 만들겠다는 것이지요. 선제공격을 할 때 전형적인 방법이 있어요. 그것은 제일 앞에 전차를 앞세우고 가는 것이에요. 사람들이 전차 소음에 기가 죽어요. 전차가 붕붕붕붕 소리를 내며 전진하면 사람들이 주춤주춤 물러나요. 중국 천안문 광장에서 시위대를 잡아들일 때도 그런 식으로 했다고 그래요. 그래서 맨 앞에 전차를 앞세우고 수색대원들이 2열 종대로 서서 뛰어가요. 그 뒤에 지프차가 따라오면서 가스탄을 쏘아요. 사람들한테 쏘는 것이 아니고 무작위로 쏩니다. 그때부터 군인들은 방독면을 쓰고 뜁니다. 방독면 쓰면 숨쉬기가 쉽지 않기 때문에 뛰기가 어려워요. 그래도 우리 부대원들은 워낙 훈련을 많이 해서 잘 뛰어요. 그런데 사고가 났어요. 내가 탔던 지프차 바퀴가 펑크 나는 바람에 송정리 역전 광장에서 나하고 부하 몇이서 군중들 틈에 갇혀 버렸어요. 전차랑 우리 부대원들은 이미 어디론가 사라져 버렸어요. 일단 전차 바퀴를 재빨리 교체했어요.

송정리 역전 광장에 사람이 가득 찼어요. 군중들 속에 총을 든 젊은 폭도들도 있었지만 괭이나 삽을 든 농부도 있었어요. 여기저기에서 우리들을 죽여야 한다는 소리도 들렸어요. 죽음 앞에는 간 큰 놈이 없지요. 우리는 방탄조끼도 하나도 착용하지 않고 다녔어요. 우리 같은 수색대원은 몸으로 때우는 놈들이고, 전투가 벌어지면 제일 먼저 죽을 놈들이라고 해서 방탄조끼는 거추장스럽게 생각했어요. 군중 속에서 젊은 사람 몇 명이 우리들에게 다가오더니 '당신들, 혹시 공수부대 아니요?'라고 물었어요. 그래서 내가 나서서 "아니요, 우리는 20사단이고 어제 도착했습니다."라고 대답했어요. 그러자 그들이 다시 "당신들 고향이 경상도요?"라고 물어왔어요. 다시 내가 "아니요, 우리 대원들은 전국 각지가 고향이요. 나는 고향이 전남 보성이요."라고 대답했어요. 그러자 젊은 사람들이 잠깐 동안 뭐라고 숙덕거리면서 의견을 나누더군요.

이번에도 폭도들의 의견이 강온파로 나뉘었던 것이에요. 한쪽에서는 공격해야 한다고 하고 한쪽에서는 살려 보내자고 하는 거예요. 우리가 총과 수류탄을 가지고 있었지만 그렇게 많은 인원과 대적할 수가 없어요. 잠시 후 젊은 사람이 다가오더니 신분증을 보여 주라는 것이에요. 내가 거짓말을 했는지 확인하려는 것이에요. 당시 병사들은 입대할 때 신분증을 부대에서 다 회수해 버리지만 장교들은 신분증을 갖고 다닐 수 있도록 허락했어요. 내가 신분증을 꺼내서 건네주었어요. 당연히 신분증에 본적은 전라도, 주소는 보성이라고 분명히 적혀 있지요. 젊은 사람이 찬찬히 들여다보더니 반색을 하는 거예요. "오메, 우리 전라도 식구네!"라고 소리를 지르더군요. 순간 나는 지옥에 갔다 살아서 돌아온 것처럼 느껴졌죠. 잠시 후 우리들을 에워싼 군중들에게 우리 전라도 식구들이니 길을 터 주라고 했어요. 그래서 무사히 살아 돌아왔죠.

5

그날을 고비로 다음 날까지 시위 군중들로부터 총기를 회수하고 귀가를 권유하여 송정리는 비교적 평온한 상태가 되었어요. 다음 날 우리 수색특공대 33명은 공군부대에서 철수하여 상무대에 배치되었어요. 지역 상황에 낯선 우리에게 경찰서 정보과 형사 한 명이 배속되었어요. 그 형사는 낮에는 광주 시내에 들어가서 정보활동을 하고 저녁에 상무대로 와서 시내 상황을 알려 줬어요. 처음에는 어색했는데 내가 광주상고 출신이고 계림동에서 자취했다고 하니까 나중에는 동생처럼 허물없이 대해 줬어요. 당시에는 그렇게 시내를 출입하면서 정보를 파악하고 다녔던 경찰들이 많았던 것 같아요.

지금도 생생하게 기억나는 것은 대한통운 화물차에 가득 찼던 밀수품을 둘러싸고 일어난 약간의 실랑이였어요. 당시 광주는 고립 상태였기 때문에 어딘가에서 압수한 밀수품을 보안대 수사관들이 서로 나눠 갖는 거예요. 드롭프스 같이 달달한 과자가 많았고 카메라나 가죽잠바 같이 고급스런 것도 있었어요. 보안대 장교들이 카메라나 잠바 같이 고급품은 먼저 챙기고 우리에게는 과자나 하찮은 것을 줬어요. 기분이 엿 같았죠. 그래서 내가 보안반장을 찾아가서 찍는 소리 한마디했죠. 내가 "우리한테는 별 볼일 없는 것만 줍니까? 카메라같이 좋은 것도 같이 나눠 먹읍시다. 사람 욕심은 다 같은 것 아니겠소!" 라고 타박을 했지요. 군대에서는 보안반장이 힘이 있습니다. 당시 보안반장은 나이 먹은 대위였습니다. 내가 보안반장한테 타박하는 소리를 듣고 인사과장이란 사람이 자기들이 고르고 고르다 남은 가죽잠바 하나 가져가라 하더군요. 내가 이미 비위가 상한 상태였는데 그것을 받겠어요. 그냥 올라와 버렸죠. 다음 날 보안대에서 조니 워커 몇 병을 보냈더군요. 자기들이 마시려고 챙겨 놨던 술이었을 것이에요.

5월 23일인가 되었을 때였어요. 그때 공수특전사 대원들이 지원동 주남마을 앞 도로에서 화순으로 나가는 버스에다 총으로 난사를 해 버렸다는 거예요. 그렇게 심하게 총을 지져댔어도 여자 한명이 살아남았다고 해요. 여자는 앳된 여고생이었어요. 당시 상무대 정문 우측에 부대 본관이 있었어요. 그 맞은편 연병장에 헬기장이 있었어요. 그 여고생이 헬기에서 내리는데 얼굴이 백지장 같이 하얗게 질린 상태로 팔에 빨간 상처가 나 있었어요. 내가 그 아이를 의무대로 데리고 가면서 말을 걸어 보았지만 그때까지는 정신이 나갔는지 아무 말도 못 하더군요. 나중에 그 여고생 말 들어 보니 군인들이 수류탄 터트리고 총으로 난사를 해서 버스에 탄 15명이 죽고 2명은 중상을 입었는데 그 2명을 산으로 끌고 가서 다시 사살했다는 거예요. 자신은 하느님이 살려 준 것으로 생각하고 있다고 하더군요.

5월 24일에는 공수부대하고 포병학교 교도대 군인들이 서로 적으로 오인하여 전투를 벌인 사건이 있었어요. 그 전투로 공수부대원들이 9명이나 현장에서 죽었어요. 사건은 주남마을 뒷산에 주둔하고 있던 공수대원들이 충정작전하려고 송정리 공군비행장을 목표로 남쪽으로 우회하여 이동하던 중 일어났어요. 교도대원들이 나주로 나가는 길목인 광주대 앞 진월동 산속에 매복해 있었어요. 그런데 저 멀리서 수십 대 차량에 무장한 부대가 나타나니까 광주 시내에 있던 폭도들로 생각하고 90미리 박격포를 쏘아 버린 것이죠.

광주포병학교 교도대원들은 광산구 어등산 사격장에서 1년에 두 번씩 시범 사격을 합니다. 봄과 가을에 시범을 보이려고 연습하기 때문에 우리나라에서 제일 박격포 잘 쏘는 팀이라고 할 수 있지요. 90미리 박격포는 38미리 철판도 뚫어요. 그런 교도대원들이 기다리고 있다가 선제공격으로 정확하게 조준해서 발사했으니 사단이 나 버린 것이지요. 첫 발은 공수부대 맨 앞 선발대가 타고 있던 지프차에 명중을 했어요. 두 번째 세 번째 탄도 계속 날아가서 쑥대밭을 만들고 말았지요. 공수부대원들은 처음에는 폭도들이 지뢰를 매설했다고 생각했답니다. 그곳에서 한참 동안 엄청난 공방을 치르고 나서야 서로 아군인 줄 알게 되었죠. 나도 그 소식을 처음 들었을 때에는 교도대원들이 어쩌다가 같은 편을 쐈을까 라고 의문을 가졌어요. 나중에 청문회 보고 나서는 그때 박격포를 잘 쏘아 버렸다고 생각했어요.

5월 24일쯤 상무대에서는 날마다 '오늘 광주 시내로 진주한다! 내일 진주한다!' 그런 소문이 퍼지고 있었어요. 그러다가 5월 26일, 연대장이 수색대 팀장인 나를 부르더군요. 가서 보니까 헬기가 대기하고 있어요. 우리는 헬기를 타고 광주 시내 상황을 살펴봤어요. 나는 사단장님 옆에 앉아 있었어요. 위에서 보니 고속도로 들어오는 입구에 차를 옆으로 세워 막아 놨더군요. 농성동 공단 입구 도로에도 바리케이드가 설치되어 있고 도로 옆으로 파란 사철나무가 줄줄이 서 있었어요. 백운동 쪽도 바라보며 상황을 다 읽었지요. 나를 헬기에 태운 것은 내가 특공대로 제일 선두에서 들어가야 되니까, 광주 시내로 진입하기 위한 도로 상황을 파악하기 위해서였죠.

헬기에서 내려오니까 그날 저녁에 광주진입작전을 실시한다더군요. 저녁 12시가 되니까 비상이 걸려 대원들을 데리고 광주 시내로 출동했어요. 우리 부대 첫 번째 목표는 서부경찰서에요. 서부경찰서에서 농성동 쪽으로 내려가다 보면 우측에 2층 목욕탕 건물이 있었어요. 지금은 없어졌어요. 우리는 완전무장을 하고 건물 그림자를 따라 이동을 했어요. 그날따라 달이 무척 밝았습니다. 내 기억에 M16 소총으로 조준 사격이 될 정도로 달이 밝은 날이었어요. 당시 우리와 함께 정보과 형사가 같이 움직였어요. 쌍촌동을 거쳐 화정동 잿등을 지나 상록회관 앞에서 길이 왼쪽으로 꼬부라져요. 막 좌측으로 돌면 오른쪽에 청기와 주유소가 있어요. 우리가 청기와 주유소 쪽으로 들어서는데 언덕 위 목욕탕 건물 옥상에서 우리를 향해 LMG30 기관총이 콩 볶듯 쏘아 대더군요. 그 건물에 기관총이 설치되어 있는지 몰랐지요. 그냥 서부 경찰서만 생각하고 가고 있었거든요.

우리 수색특공대는 먼저 임무 완수가 중요하기 때문에 목욕탕 건물 총격에 일일이 대응하지 않았어요. 우리들은 재빨리 피해서 청기와 주유소 뒷골목으로 서부경찰서로 향했지요. 돌고개 언덕 위에 있는 서부경찰서는 철문으로 잠겨 있었어요. 철문에는 굵은 열쇠가 걸려 있었는데 개머리판으로 치니까 고리가 떨어지더군요. 우리들은 재빨리 문을 열고 들어가서 1층 수사과장실과 사무실, 2층 서장실, 3층 사무실을 분담해서 침투했지요. 건물 안으로 들어가면서 가스탄을 던져서 시야를 가리고 바닥에 엎드려 사람들을 붙잡아 순식간에 제압했어요. 우리들은 군사교육을 받은 놈들 아닙니까. 우리가 가스탄을 던지니까 사무실에 있던 폭도들이 총을 쏘더군요. 그렇지만 가스가 뿌려진 상태에서 총을 쏘기 때문에 어디에 쏘는지도 모른 채 쏘아대요. 우리들은 침투 교육을 받았기 때문에 사무실에 침입하자마자 바닥에 엎드려서 공격을 했죠. 가스탄 던지고 순간적으로 뛰어 들어가서 제압하는 데 1분도 안 걸렸어요. 폭도들은 우리들이 엎드려서 공격해 들어올 것이라고 꿈에도 생각을 못했을 거예요. 그렇게 해서 순식간에 십여 명의 폭도들을 다 체포했어요. 그리고 나서 본부로 무전을 치니까 상무대에 대기하고 있던 전차가 왔어요.

6

서부경찰서 상황이 끝나고 나니까 새벽 3시쯤 되었어요. 잠시 후 11공수여단 대원들이 광주공원과 사직공원을 공격하고 나서 우리가 있던 서부경찰서로 들어왔어요. 그들이 공격하면서 사살한 시신 여러 구를 서부경찰서 본관 좌측 식당 건물 앞에 늘어놨어요. 시신이 미제 매트리스에 둘둘 감겨 있더군요. 기분이 더러워서 어떻게 죽었는지 물어보지 않았어요. 4시가 되어 도청진입작전이 시작되자 헬기가 상공을 날기 시작했어요. 당시 광주 시내에 헬기가 여러 대가 떴어요. 헬기가 날고 여기저기서 총소리가 나기 시작했어요.

그날 도청 공격은 공수부대가 맡았기 때문에 우리는 5시가 지나서 도청으로 갔어요. 도청 앞 광장은 그야말로 전쟁터예요. 철모에 흰 천을 두른 공수부대들이 점령군처럼 살기등등하게 돌아다니고 있더군요. 도청 앞마당에 수십 구의 시신이 늘어져 있더군요. 고등학교 교련복을 입은 시신들도 여러 구 보였어요. 끔찍했어요. 도청 들어가는 입구 수위실 앞에 체포한 폭도들 수십 명을 묶어 났더군요. 돼지묶음이라고 포승줄로 목과 손과 발을 일체형으로 연결해서 꼼짝도 못하게 묶는 형태예요. 발을 움직이면 목이 당겨지고 목을 앞으로 당기면 발이 당겨지는 전형적으로 중범 죄인을 묶는 방법입니다. 그리고 등에 빨간색 혹은 검정색 매직으로 '총기 소지', '극렬분자', 혹은 '조대부고', '광주상고' 등등 그렇게 써 놨더군요. 광주상고라고 써진 폭도는 내 후배겠지요. 한쪽에는 차량이 불타고 있고 직원 식당이었던 민원실은 난장판이 되어 있더군요.

우리들은 도청에서 나와 대인동 터미널 쪽으로 이동했어요. 그쪽이 여관이 많이 있는 곳이에요. 그중 한 건물 옥상에서 폭도들이 우리를 향해 총으로 쏘아 대요. 상황이 끝난 것이 아니었어요. 특공대 부하들이 총을 쏘며 올라가서 생포했어요. 부하들이 폭도들을 끄집어 내려서 그냥 두겠습니까? 여러 명이 달라 들어 군화발로 밟아 버렸죠. 그리고 나서 합수부에 넘겼어요. 그때 폭도 체포한 사건이 부대에 상신되어 대통령 표창도 받았습니다. 우리들 뒤에서 탁상공론만 하던 치들은 훈장을 받았지만, 맨 앞에서 죽음을 각오하고 출동해서 고생한 우리들은 표창장밖에 못 받았어요. 처음에는 표창장을 애지중지 여겼는데 나중에 TV에서 청문회 보고 난 뒤에는 다 찢어 버렸어요.

전두환이 정권 잡으려고 오일팔 일으키고 수백 명 사람들을 때려 잡고 그랬다는 것을 TV청문회 보고 알았어요. 당시에 그 사실을 알았다면 내가 총으로 박살 내버렸을 거예요. 그때에는 이북에서 간첩들이 내려와서 오일팔을 일으켰다는 상사들의 말을 곧이곧대로 믿고 광주 폭도들을 가만두면 안 된다고 생각했었지요. 청문회 때 기억나는 사람이 있어요. 누구냐 하면 장세동이에요. 개인적으로는 내가 의리파 장세동 씨를 정말 좋아했습니다. 장 씨가 전두환 대신 징역도 몇 번 가고 끝까지 입을 안 벌리던데, 그때 청문회에서는 입을 벌렸어야 해요. 역사는 똑바로 세워야 되요. 장 씨가 개인적으로 의리를 지켰는지는 모르겠지만 그건 의리가 아니에요. 나라를 위해서는 밝힐 건 밝혔어야 했어요. 이제는 오일팔의 진상을 다 밝혀야 해요. 사람은 많이 죽었는데 죽인 놈은 없다는 것이 말이 됩니까. 당시 오일팔이 국민을 향해 총을 쏜 범죄지, 국가를 지키기 위한 전쟁이었습니까?

어디 가서 오일팔 얘기만 나오면 가슴이 막힙니다. 만약 내가 오일팔 총책임자였다면 목욕재계하고 TV생방송으로 기자회견해서 '국민 여러분 정말 잘못했습니다. 내가 죽음으로 사죄하겠습니다.'라고 솔직히 말하겠어요. 그러면 우리 한국 사람들은 '죽지 마!'라고 할 것입니다. '용서해 줄 테니까 죽지 마라!'고 할 것이에요. 그런데 전두환이 끝까지 버티고 있잖아요. 내 가슴속에는 전두환, 노태우, 장세동, 박준병, 김대중, 김영삼, 오일팔… 그런 것들이 응어리져 있어요. 이건 그냥 하는 말이 아니고 정말 가슴속에 가득 차 있는 응어리예요. 내가 죽으면 시체 속에 응어리가 가득 차 있을 것이에요. 아, 이놈의 오일팔 응어리, 오일팔, 오일팔… 그놈의 오리발!

물
안
개

현수는 까닭 없이 뒷머리가 스멀스멀 가려웠다. 백미러에는 주름이 깊고 광대뼈가 불거진 노인이 안경 속에 날카로운 눈매를 감춘 채 굳은 조각상처럼 무표정하게 앉아 있다. 현수는 순간 그 노인이 한 번도 본 적이 없는 생소한 얼굴처럼 느껴졌다. 그 낯선 느낌이 너무도 생생하여 하마터면 뒷좌석으로 얼굴을 돌려 확인할 뻔하였다. 현수는 문득 왜 아버지가 낯선 사람처럼 느껴졌는지 알 수 없었다.

아버지는 제자들에게는 인자한 스승이었으나 자식들에게만은 너무도 엄격했다. 그래서 삼십 년이 넘도록 현수에게 아버지는 아직도 대하기에 편치 않은 분이다. 아버지와 대화 한마디 없이 함께 있는 것이 더욱 고통스럽다. 달리는 차 안은 너무 조용하다. 어색한 침묵을 견디다 못해 현수는 슬그머니 라디오를 켰다. 남녀 사회자가 전화로 진행하는 퀴즈 게임이 한창이다. 껄껄거리며 농담을 하는 진행자의 유들유들한 목소리가 역겨워 현수는 재빨리 라디오를 끄고 말았다.

차가 복잡한 시가지를 벗어나자 들과 야산으로 시야가 넓어졌다.

현수는 거북했던 심사가 한결 나아지는 것 같았다. 일정한 간격으로 솟아 있는 가로수 사이로 철 늦은 코스모스가 마지막 치장을 한 듯 군데군데 연분홍 꽃잎을 바람에 내맡기고 있다. 가는 줄기가 이리저리 흔들리는 것이 안쓰럽기 짝이 없다. 코스모스는 영주가 제일 좋아했던 꽃이다. 차창으로 스쳐 지나가는 코스모스와 겹쳐서 영주의 둥그런 얼굴이 떠올랐다. 오늘만은 아버지께 영주네 일을 꼭 허락 받고야 말겠다고 현수는 다짐을 한다. 하지만 지그시 창밖만 바라보고 계시는 아버지의 얼굴은 무심하기만 하다.

"요즈음도 주욱 낚시로 소일하셨어요!"

"그럼 내가 낚시 말고 다른 데 맛 붙이는 것 보았남. 오늘은 네 덕에 이렇게 차로 편하게 가니 월척이라도 하나 올릴 모양이구나."

몇 달 전부터 아버지와 둘만의 시간을 가질 기회가 오기를 단단히 벼른 현수지만 도무지 입이 떼어지지 않았다. 현수는 낚시터에 도착하기 전에 말머리라도 꺼내야겠다는 조바심이 들었다.

"아버지, 요즈음엔 지렁이 미끼는 어떻게 구하세요."

불쑥 내뱉은 말이었지만 현수가 내심 궁금해했던 대목이기도 하다.

아버지는 일본에서 대학을 다니다 학도병으로 끌려가 전선에서 해방을 맞았다. 장남인 아버지는 노부모와 동생들의 생계 때문에 학업을 포기하고 교원자격증을 따서 교사 생활을 시작했다. 이제나저제나 생활에 여유가 생기면 대학을 마저 마치리라 생각했다. 그러기를 내쳐 퇴직하기까지 40년, 꿈을 이루지 못하고 외길 교사 인생을 살아왔다, 대학 시절의 꿈과 이상을 다 포기하고 가족들의 생계를 힘겹게 끌어가야 했던 아버지에게 낚시는 현실을 잠시 잊을 수 있는 유일한 취미였다. 젊어서 가족들을 데리고 이곳저곳 객지의 학교로 옮겨 다닐 적에도 거의 매일 낚시를 다녔다. 얼핏 보면 낚시는 간단한 것 같지만 준비가 만만치 않았다. 그중 미끼를 장만하는 일도 웬만큼 손이 가는 일이 아니었다. 최고의 미끼로 치는 싱싱한 지렁이를 장만하려면 적어도 이틀에 한 번 꼴로 잡아야 했다. 아버지는 늘 현수와 영주에게 그 심부름을 시켰다. 그래서 오누이는 일주일에 적어도 두세 번은 꼭 지렁이를 잡으러 다녀야 했다.

코흘리개 까까머리 꼬마와 단발머리 계집애가 오후 늦게나 이른 새벽에 지렁이를 잡기 위하여 호미와 미끼통을 들고 동네의 후미진 곳들을 헤매고 다니는 광경을 그 당시 아버지는 과연 상상이나 하였을까! 지렁이를 잡기 위해서 둘이 주로 다녔던 곳은 동물 축사나 농가의 두엄더미 밑, 혹은 고약한 냄새가 흘러나오는 시궁창, 그런 곳들이었다. 사실 오누이에게 그 일은 끔찍한 형벌이었다.

한참 단잠을 즐기고 있을 새벽에 억지로 깨어날 적마다 현수는 아버지가 미웠으나 결코 그 일을 거역하지 못했다. 그 대신 가끔 게으름을 피워댐으로써 불만을 표출할 따름이었다. 출발할 때부터 일부러 늑장을 부리거나 호미만 달각거리며 지렁이를 제대로 잡지 않은 적도 여러 차례 있었다. 하지만 영주는 현수와는 달랐다. 그녀는 징그러운 지렁이를 만져야 하는 것은 죽기보다 더 싫어했지만 정작 미끼통에 지렁이가 가득 찰 때까지는 먼저 집에 돌아가자는 말을 하지 않았다. 오히려 현수가 늑장을 부리거나 미끼통을 짚이나 흙으로 채워 지렁이가 많은 양 요령을 부리면 화를 내기까지 했다. 그래서 여기저기 돌을 들쑤시어 지렁이를 찾아내고는 빨리 담으라고 성화를 부린 적도 한두 번이 아니었다. 미끼통에 지렁이가 묵직하게 채워지면 그제서야 가자고 손을 잡아 끌던 아이였다.

어느 날이었다. 이슬비가 내리는 일요일 새벽, 사람들은 모두 다들 깊은 잠 속에 빠져 있을 꼭두새벽이었다. 그날도 현수와 영주는 눈을 비비며 억지로 일어나야 했다. 낚시꾼에게는 더 없이 호기인 그런 날씨를 그냥 지나칠 아버지가 아니었다. 둘은 호미와 미끼통, 게다가 비까지 오기 때문에 우산과 손전등을 들고 집을 나섰다. 아버지가 자세히 일러 준 그곳에 언덕배기 역전을 지나고도 한참을 더 가야 되는 장터 우시장 뒷골목에 있는 외양간 두엄더미 터였다. 그동안 그렇게 멀리로는 한 번도 가 본 적이 없었던 새로운 장소였다. 아직은 캄캄한 새벽, 비마저 부슬부슬 내리는 길을 두려움 때문에 오누이는 손을 꼭 붙잡고 걸어갔다. 장마철만 되면 물이 넘쳐 건너지를 못했던 다릿거리, 인적 하나 없는 텅 빈 역전 광장, 빈 좌판만 나뒹굴어 음산하기 짝이 없는 시장터를 지나 둘은 이윽고 외양간에 도착했다. 영주는 한 손엔 우산을 들고 다른 손으로는 손전등을 들어 두엄더미를 비춘다. 현수는 호미로 두엄더미를 헤치어 전등빛에 꿈틀대며 드러나는 빠알간 지렁이를 잽싸게 잡아서 미끼통에 넣는다. 전등 불빛과 호미질에 놀라 꿈틀거리며 두엄 속으로 도망가는 지렁이를 잡는 일은 보통 힘든 게 아니었다. 그러나 그날은 예전의 여느 날과는 사뭇 달랐다. 꿈틀거리는 지렁이의 징그러운 느낌보다 정작 더 오누이를 못 견디게 괴롭힌 것은 순간순간 엄습해 오는 공포였다. 장막을 친 듯이 새까만 어둠 속에서 불시에 들리는 이상한 소리는 금방이라도 무엇인가 튀어나올 것 같았다. 줄줄이 늘어서 있는 소 떼들, 흔드는 머리에서 울리는 방울 소리, 꼬리를 휘저으면 들리는 날카로운 바람 소리, 뒤룩거리는 큰 눈, 현수와 영주는 지렁이 잡이에 열중하다가도 그때마다 머리카락이 얼어붙고 살갗에 소름이 돋았다. 영주도 그날은 잔뜩 겁을 내며 현수 등에 바짝 기대어 있었다.

그날, 뜻밖의 사건이 일어났다. 그 사건은 전적으로 영주의 뜻에 따른 것이었다. 지렁이를 잡아 상자에 가득 채운 둘이 집으로 돌아오는 길이었다. 집에 거의 다다랐을 때 영주가 불쑥 집 건너편 헛간을 가리키며 오빠 우리 집에 가지 말고 저기에 숨어버리자!라고 말하더니 앞장서서 안으로 들어갔다. 아버지의 말을 거역한다는 것을 꿈에도 생각할 수 없었던 현수는 깜짝 놀랐지만 순순히 영주를 따라가고 말았다. 너무도 두려웠던 조금 전 외양간에서의 기억과 아버지에 대한 미움 때문에 순간적으로 저질러 버린 행동이었다. 아침까지 둘이 나타나지 않자 집안은 발칵 뒤집어졌다. 아버지와 어머니는 놀라서 외양간까지 몇 번이나 오가며 이 잡듯이 뒤졌으나 찾지 못하였다. 곤히 자고 있는 오누이를 헛간 구석에서 발견한 것은 동이 훤하게 터 버린 오전 나절이었다. 그 일 이후 둘은 그 지긋지긋한 일로부터 해방되었다.

"요즘에는 지렁이도 양식한다더라. 낚시 가게에서 포장해서 팔고 있다. 옛날처럼 싱싱하지는 못하지만…."

역시나 아버지는 옛날 그 시절의 싱싱했던 지렁이가 못내 아쉬운 듯 미처 말을 맺지 못한다.

차는 국도를 벗어나 한적한 시골길로 접어들었다. 나락 밑동이 뎅강뎅강 베어져 한결 넓어 보이는 논들이 야산으로 층층이 이어져 있다. 이제 한 구비 언덕만 돌아가면 호수가 나타날 것이다. 현수는 제법 속도를 높였다. 저만치 앞서가던 버스가 점점 가까워졌다. 버스는 언덕길을 들어서자 한번 숨을 몰아쉴 듯이 그르릉대더니 가파른 고갯길을 훌쩍 잡아챘다. 현수의 차도 재빨리 버스를 따라 언덕을 올라갔다. 버스는 이윽고 언덕 아래로 내려갔다. 버스 지붕 너머로 푸른 호수가 언뜻 시야에 들어왔다. 호수의 푸르름이 현수의 시선을 불시에 후렸다. 현수는 기습이라도 당한 듯 정신마저 서늘해지는 느낌이다. 현수는 삽시간에 기분이 좋아졌다. 아, 이 맛에 아버지께서는 낚시를 다니시는 걸까.

호수는 햇빛에 반사되어 자잘한 유리 조각처럼 반짝인다. 저 멀리 기슭은 길게 늘어진 산 그림자로 물빛이 차츰 거뭇거뭇 변해 가고 있다. 현수는 끝내 영주에 대한 이야기를 한마디도 꺼내지 못한 채 낚시터에 와 버린 것이 아쉬울 뿐이었다.

산속의 호수에는 밤이 훨씬 일찍 찾아든다. 산 그림자가 호수 가장자리를 파먹기 시작하면 어둠이 불쑥 다가왔다. 날이 어두워지면 기온도 갑자기 떨어져서 추워지고 바람결도 쌀쌀하다. 때문에 초행자들은 대개 낭패를 겪곤 한다. 오늘은 현수 덕택에 텐트 치는 것이나 저녁 요기에 시간을 뺏기지 않아서 노인은 기분이 훨씬 차분하다. 조금 더 어두워지면 대부분의 낚시꾼들은 슬슬 철수해 가고 몇 명만이 남아 이 호수를 지킬 것이다. 호수 저편 언덕 뒤편, 어림으로 백 보쯤이나 되어 보이는 작은 언덕 사이에서 불빛이 하나 새어 나오고 건너편 자락에 또 서너 개 어른거리는 걸로 보아 오늘은 너댓 명쯤 이곳에서 밤을 새울 모양이다. 랜턴을 켜기 전까지 두어 시간이 지나도록 찌는 미동도 하지 않았다. 예전 같으면 벌써 손바닥만 한 붕어 몇 마리쯤은 건져 냈을 시각이다. 노인은 미끼가 시원치 않아서 그럴까라는 의구심마저 생겼다.

노인은 요즘 낚시 세태가 옛날하고는 너무도 달라져 버려 무척 심사가 불편했다. 기분 나쁜 금속성의 소리를 뱉어 내며 드르륵 감기는 릴낚싯대에다 번쩍거리는 고급 낚시 장비들, 트렁크에 가득 싣고 와서 물속 여기저기에 풍풍 던져 넣는 떡밥 덩어리, 게다가 제법 잉어나 붕어를 심심찮게 낚아 대는 행동거지까지도 은근히 부아가 치밀어 올랐다.

현수가 준비한 저녁 식사는 꽤나 푸짐하다.

"너는 낚시는 않고 밥하려고 왔남, 도시락에 김치면 되지, 낚시터에 와서 낚싯대는 손에도 안 잡아 보고…."

텐트 옆에 벌려져 있는 밥상 앞으로 온 노인은 퉁명스럽게 한마디 내뱉었다.

"아버지, 제가 뭐 낚시하러 나왔겠어요. 모처럼 아버지 모시고 야외에 나오니 기분이 좋습니다. 진즉 이런 자리를 만들었어야 하는데…."

현수는 아버지를 똑바로 바라보지 못하고 시선을 돌렸다.

노인은 현수의 속마음을 모르는 척 밥상과 빠알간 찌를 번갈아 보면서 천연덕스럽게 말을 받았다.

"이제 나도 너무 힘이 들어 낚시도 그만둘까 보다. 사실은 오늘도 네가 아니었으면 이맘쯤 낚싯대를 거두고 집에 돌아갔을 것이야. 밤 낚시라는 것이 이제 우리 나이에 가당찮은 짓이지."

사위가 차츰 어두워졌다. 빠알간 찌들도 어둠 속에 묻히어 가뭇없 이 사라지기 시작한다. 문득, 너무 조용하여 노인은 현수를 돌아보았 다. 무엇인가 골똘히 생각에 잠겨 있던 현수가 인기척에 놀라 움찔하 더니 정색하듯 정면으로 아버지를 바라보았다. 노인은 휴일이라지만 여태 다니지 않던, 심지어는 자신이 낚시 다니는 것조차 달가워하지 않던 현수가 갑자기 따라나설 때부터 이상하게 생각하던 참이었다. 노인은 모른 척했지만 그것이 어쩌면 영주에 대해 무엇인가 할 말이 있을 것이라고 짐작은 하고 있었다.

"아버지, 다음 달 아버님 칠순 생신에 대해서 생각을 해 봤는데 말 입니다. 친척들도 다 모일 것이고 그래서, 저 영주네도 참석하라고 기 별을 하려는데요, 어머니도 바라시고요…."

낮고도 조심스러운 목소리다.

"뭐? 뭐라고! 영주 이야기는 꺼내지도 말어. 그리고 칠순이라고 해 서 무슨 잔치니 뭐니 하고 벌이지들 말어. 어미하고 가까운 식구들이 모여서 미역국이나 한 그릇씩 먹으면 됐지. 다른 것은 꿈도 꾸지 말 어. 그 애는 우리 식구가 아닌 지 오래여."

노인은 단호하게 말을 끊었다.

"하지만 아버지, 영주가 무슨 큰 잘못을 저지른 것도 아니고 세상 이 그렇게 만들었던 것 아닙니까. 아이들 낳고 살다 보니 식구들이 그리운 모양입니다. 아버지, 손주들을 생각해서라도 이번 기회에 모르는 척 용서를 해 주십시오."

이번만은 현수도 쉽게 물러설 기세가 아니다.

"안 돼! 제 발로 떠날 때는 언제고 누구 마음대로 다시 들어와, 내가 죽기 전에는 절대 허락할 수 없어."

높고 쩌렁쩌렁한 노인의 목소리가 고요한 호수에 울려 퍼졌다.

"그러니까 네가 오늘 여기까지 따라온 이유가 있었구먼! 할멈이 시켰남, 아니면 그 애가 시켰남!"

현수는 입술을 깨물었다.

"아버지, 왜 그렇게… 자식이 여럿도 아니고 단 둘인데 영주는 그나마 십 년이 다 되도록…, 혼자 자식 노릇 하자니 저도 힘들어요. 아버지, 이제 그만 용서해 주십시오. 이번에 모른 척만 하셔도…"

현수는 목멘 듯 말을 맺지 못했다.

노인은 자칫 마음이 약해지려 한다. 그러나 아직은 때가 아니라는 생각을 했다. 노인은 현수에게 단단히 매듭을 지어야겠다고 작정을 했다.

"어쨌든 그 애는 안 돼! 내가 죽고 나면이야 네가 알아서 할 일이다만은, 다시는 그 애 말은 꺼내지도 말어."

노인은 내던지듯 숟가락을 놓고 자리를 떴다.

영주 남편으로부터 공장에 들러 달라고 전화가 온 것은 한 달포쯤 전이었다. 차가 고장 났을 때나 가끔 건성으로 들렀던 자동차 공업사는 현수에게 너무 낯선 곳이었다. 뚜껑을 열고 엔진을 만지고 있던 그는 기름에 전 장갑을 벗고 손을 내밀었다. 손은 기름이 배어 축축했다. 힘줄이 선명한 시커먼 손과 여자처럼 하얀 현수의 손이 마주 잡고 악수를 한다. 현수는 문득 영주의 가늘고 곱다랗던 손이 떠올랐다. 현수는 두 손으로부터 재빨리 시선을 비켰다. 순간, 어색한 시선을 의식했는지 그도 슬며시 손을 거두었다. 그는 사람 좋은 표정으로 멋쩍게 웃었다.

인근 식당에서 반주로 소주를 한잔 든 그는 벼르고 있었던 듯 말문을 열었다.

"형님, 이제 저희들도 살만 합니다. 아이들한테도 외가가 어디라고 떳떳하게 말하고 싶습니다. 외할아버지 할머니 삼촌이 다 살아 계시는데, 이렇게 살아야 합니까. 집사람도 많이 변했어요. 형님이 이번에는 확실하게 일을 좀 추진해 주십시오. 마침 올해가 장인 칠순도 되시고요. 좋은 기회 아닙니까."

그는 애써 괄괄한 척 소리를 높였다. 억지로 톤 높인 소리는 그의 순박한 표정과 어울리지 않는다. 오히려 현수의 우유부단함을 질책이라도 하듯이 가슴을 아리게 했다.

현수와 영주는 남매였지만 다들 성격이 뒤바뀌었으면 좋았을 것이라고 말했다. 현수가 내성적이면서 우유부단한 것에 반해 영주는 쾌활하면서도 결단력이 있었다. 그것은 대학 생활에서 확연하게 드러났다. 공교롭게도 오누이가 함께 활동한 동아리에서 평범한 현수에 비해 영주의 활달함과 결단력 있는 성격은 많은 사람들에게 호감을 주어 인기가 높았다. 선배들은 영주를 눈여겨보았으며 차기 임원감으로 내정했다는 소문도 돌았다. 현수는 영주와 대학 생활을 1년밖에 함께

하질 못했다. 아버지의 종용으로 현수는 휴학을 하고 군대를 가야 했다.

제대를 서너 달 앞둔 5월 어느 날 현수는 이례적으로 갑작스런 닷새간의 휴가를 받았다. 휴가를 떠나던 날 소대장은 현수를 따로 불러 짧은 훈시를 했다.

"김 병장, 즐겁게 가야 할 휴가지만 이번 휴가는 약간 특별하다. 집에는 가지만 날마다 그곳 보안사로 출근을 해야 한다. 물론 내가 결정한 것이 아닌 상부 지시다. 혹시 주변에 운동권에 속한 친구나 선배가 있나? 아마 그런 것과 관련된 내용일 것이다. 가 보면 알겠지만, 건투를 빈다."

현수는 다니던 대학 동아리 선후배 중 누군가가 시위에 관련하여 조사할 내용이 있어서 그러려니라고 막연하게 생각하였다. 휴가 첫날, 보안사에서 현수는 전혀 예상하지 못했던 충격적인 이야기를 들었다. 영주는 손꼽히는 과격한 여학생으로 학생운동 지도부의 일원이라는 것과 이번 5월에 시위의 주동자로 지목이 되어 있다는 것이었다. 그래서 영주를 만나서 시위에 나서지 못하도록 설득을 하고 그 결과를 보고하는 것이 현수 휴가 5일간의 일과였다. 현수는 그때서야 면회를 오셨던 어머니의 안부 중에도 영주의 소식이 매번 빠져 있던 것과 휴가로 집에 왔을 때에도 학교생활이 바쁘다는 핑계로 영주의 얼굴을 거의 볼 수 없었던 것이 마음에 걸렸다. 벽지의 시골 학교만을 전전하느라 주말에나 겨우 광주 집에 다녀가시던 아버지께서는 여태 쉬쉬하였지만 집에서 영주는 이미 포기한 자식이었다. 영주는 5월이나 혹은 10월이 되면 숫제 집에 들어오지를 않았다. 그해 5월에도 영주는 집에 들어오질 않고 있었다.

학과 사무실이나 동아리방 어디에서도 영주는 보이지 않았다. 어찌어찌 수소문을 한 끝에야 겨우 영주와 만날 수 있었다. 그렇지 않아도 마른 편인 영주였으나 집 밖으로 나돌아 다녀서인지 더욱 초췌해 보였다. 영주는 다소 의외인 듯 놀랐으나 활짝 웃으며 반겼다.

"오빠, 휴가 왔어?"

"응"

"지난번 휴가 온 것이 얼마 안된 것 같은데 벌써 또 나왔어!"

"이제 말년이라, 그리고 고참도 되고…"

"오빠가 고참이라, 아직 이렇게 새파란 애송이가 고참이야, 호호호…"

영주가 활짝 웃자 현수도 따라 웃었다.

둘은 강당 앞, 아직 잎이 채 나지 않아 앙상한 등나무 기둥 아래의 벤치에 나란히 앉았다. 영주는 자판기에서 종이컵에 커피를 두 잔 꺼내 왔다.

"오빠, 좋아하는 원두커피가 아니어서 미안해, 다음에 제대하면 정식으로 한턱낼게."

"한턱은 무슨, 네가 무슨 돈이 있다고… 내가 오히려 용돈을 줘야지."

오랜만에 영주와 단둘이 만나니 현수는 기분이 좋았다. 하지만 보안사에서 들은 이야기 때문에 금세 가슴이 답답해졌다. 현수는 어디서부터 먼저 말을 꺼내야 할까 생각했다.

"저어, 영주야…"

"왜?"

영주는 눈을 동그랗게 떴다.

"어머니께서 걱정이 태산 같다. 그리고 네 건강도 좋지 않은 것 같고, 저녁에는 늦더라도 꼭 집에서 자고 다녀라."

영주는 외면했다.

"오빠, 나는 부모님께 효도하는 걸 포기했어. 오빠가 빨리 제대해서 내 몫까지 챙겨 줘. 어쩌면 나 이번 학기가 지나면 잠시 못 볼지도 몰라."

현수는 짐짓 모르는 척 물었다.

"왜! 어디 갈거니?"

"응, 아니 어디 가는 것은 아니고 잠시 휴학을 하게 될지, 아니면…아냐, 아직 결정 안 했어. 그냥 졸업할지도 모르고…"

"너, 설마!"

"응, 무얼?"

영주는 잠시 허공을 바라보다 현수를 정면으로 응시하고 차분히 말을 시작했다.

"오빠, 나 옛날의 오빠 동생 영주가 아니야. 나는 지금 학생운동을 하고 있어. 그리고 앞으로도 계속할 거야. 그것은 어쩌면 오빠 몫까지 내가 대신하는 것인지도 몰라. 부모님껜 미안하지만 어떻게 살아야 할 것인지 이미 난 결정했어. 내가 오빠 몫까지 학생운동을 하듯이 오빠도 내 몫까지 효도를 해 줘."

현수는 영주가 갑자기 커 보였다. 자기의 인생관에 대해 솔직하게 털어놓는 영주의 폼이 마치 누이가 어린 남동생에게 하듯 현수를 압도했다. 영주는 현수가 못 본 사이에 세상을 훌쩍 뛰어넘어 버린 것 같았다. 현수는 학생운동을 하더라도 부모님이 걱정하시지 않도록 감옥에 들어가는 일만은 삼가라는 당부와 건강에 유의하라는 것 외에는 달리 할 말이 없었다. 그것이 영주가 감옥에 가기 전에 현수와의 마지막 만남이었다.

영주가 감옥에 들어가고서야 아버지도 모든 걸 알게 되었다. 집안은 한바탕 난리가 치러져 쑥대밭이 되고 그동안 조바심으로 마음고생만 하던 어머니는 몸져눕고 말았다. 감옥에서 석방된 후 영주는 시도 때도 없이 아버지의 훈계를 들어야 했으며 심할 때는 손찌검까지도 감당하여야 했다. 아버지와의 충돌 때문에 못 견딘 영주가 취업한다는 핑계로 집을 나가 버리자 차라리 집안은 조용했다. 아버지께는 역시나 비밀로 부쳐졌지만 영주는 노동운동을 하겠다며 학력을 속이고 공장에 취업했다. 그 이듬해 영주는 위장 취업으로 감옥살이를 했다. 그 이후에도 몇 차례 더 수배와 연행을 당했다.

영주와 아버지가 결정적으로 의절하게 된 사건은 영주의 결혼이었다. 아예 집을 떠나 살던 영주가 어느 날 느닷없이 집에 찾아 들어왔다. 영주는 결혼을 하겠다고 했다. 상대는 노동자이고 현재 서로 사랑하고 있노라고 했다. 세월이 흘러 영주가 더 나이가 들면 생각도 바뀔 거고 그러면 적당한 상대와 결혼을 시키겠던 마지막 기대를 갖고 있었던 아버지께 청천벽력과도 같은 사건이었다. 재떨이가 날아가고 한참 소동이 일다가 결국 그녀는 쫓겨나고 말았다. 그 몇 달 후 현수는 영주가 동료들만 참석한 결혼식을 치렀다는 이야기를 들었다.

어둠 때문에 더 이상 찌가 보이지 않자 노인은 낚싯대를 거둬 야광찌로 바꿔 달기 시작했다. 야광찌는 굵은 철사 두께만 한 타원형의 투명 물체였다. 노인은 현수 앞에서 야광찌를 툭툭 꺾었다. 야광찌는 꺾인 지점부터 빛을 발하기 시작해 삽시간에 전체로 확산됐다. 요즘 낚시는 이렇게 편하게 할 수 있다고 말하듯이 안경 너머로 현수를 힐끗 바라보며 노인은 어색하게 웃었다.

현수는 과거의 도구만이 정통인 것처럼 말하시던 아버지도 문명의 이기 앞에서는 어쩔 수 없나 보다고 생각되었지만 한편으로는 섭섭한 느낌이 드는 것을 막을 수는 없었다.

현수는 낚싯대를 여러 차례 휘두른 뒤에야 겨우 찌를 목표했던 위치에 띄울 수가 있었다. 손 맵시가 서툴러 낚싯대는 쉽게 목표 지점에 던져지지 않는다. 옆의 아버지 터에는 낚싯대가 길고 짧은 순서로 세 개가 나란히 담겨 있었다. 현수의 생각만큼 쉽게 되질 않는다. 낚싯대를 수면 멀리 던진 후, 약간 앞쪽으로 당겨 찌가 곧추서도록 기다렸다가 받침대에 고정시킨다. 같은 방법으로 낚싯대 두 개도 적당한 간격으로 고정한다. 이때 먼저 놓은 낚싯대나 줄이 휘두르는 낚싯바늘에 걸리지 않도록 주의해야 한다. 낚싯대 세 개를 다 물에 담그고 나서야 현수는 겨우 한숨을 돌렸다.

스산한 산들바람이 가을밤 호수가를 스쳤다. 언뜻 보면 노란색인 것도 같고 녹색인 것도 같은 발광의 야광찌들이 바람에 이리저리 흔들린다. 호수의 안쪽으로부터 물결이 무리를 지어 끊임없이 달려온다. 그렇지만 기슭에 이르면 이윽고 깨어져 작은 물결로 변한다. 그 물결들은 물가에 도달하면 마치 부활이라도 하듯이 자잘한 빛으로 되살아난다. 물결에 부딪혀 생겨난 빛의 잔해들이 이제는 손에 잡힐 듯 현수의 눈앞까지 밀려와 어른거린다. 그 속에서 우뚝 서 있는 찌들은 마치 빛의 무리를 이끄는 등대 같다.

갑자기 찌가 움찔하고 흔들렸다. 현수는 깜짝 놀라 낚싯대로 손을 뻗는다. 현수는 긴장한 손으로 낚싯대를 천천히 잡고서 수면을 깊숙이 응시한다. 그러나 언제 그랬느냐는 듯이 물결 속에서 찌들은 잔잔하게 흔들릴 뿐이다. 현수는 긴장 때문에 잔뜩 굳었던 팔목의 힘이 서서히 풀어지는 것을 느낀다.

"늦었다. 미끼를 갈아라. 조그만 놈들이다. 이제 밤이 깊어져서 여간해서는 안 물 것이다. 새벽이 되면 큰 놈들이 나타나니까 한숨 붙이던지 하려므나."

옆에서 아버지가 처음부터 지켜보고 있었나 보다. 현수는 아버지의 자상함이 어디에 숨어 있을까 생각한다. 낚시를 거둬 바늘을 살펴본다. 아버지 말대로 지렁이는 이미 다 뜯어져 있다. 지렁이 한 마리를 다시 낚시에 꿰어 넣는다. 꿈틀거리는 지렁이는 여전히 징그럽다. 다시 던져 넣는 낚싯대가 이제 조금은 익숙하다. 아버지는 몇 마리쯤 낚으셨는지 바구니를 들척이며 낚싯대를 오르락거린다. 별말이 없는 것이 씨알이 작은 놈들인 것 같다.

"아직은 괜찮습니다. 조금 더 앉아 있어 보지요."

현수는 대수롭지 않은 듯 호기를 부려 대답한다. 그러나 현수는 발이 저려 온 지 이미 오래다. 마음 같아서는 텐트 안에 들어가 한숨 붙이고 싶다. 하지만 아버지가 저렇게 당당히 앉아 계시는데 도저히 먼저 잘 수가 없다. 현수는 더 버티기로 작정을 했다.

노인은 밤이 깊어 가도록 손바닥만 한 붕어 몇 마리 걸린 것이 도저히 성에 차지 않았다. 이제 자정을 넘겨 버려 새벽이 될 때까지는 그나마 작은 것이라도 기대할 수가 없다. 하지만 지금 눈을 붙일 수는 없다. 잘못하면 물고기들이 움직이기 시작하는 새벽 시간을 놓칠 수도 있을 뿐더러 손 감각이 무뎌지기 때문이다. 옆에 앉은 현수는 조는지 조용하다. 조금 전만 해도 잠바를 꺼내 입는지 부시럭거리더니 지금은 아무 소리도 없다. 노인은 그래도 제법 대견하다는 생각이 든다. 현수가 따라나설 때는 웬일인가 싶은 의문이 들었고, 할멈하고 한통속이 돼서 영주 이야기를 꺼낼 기미인 것까지는 눈치챘지만 아무튼 이렇게 밤늦도록 버티리라고는 생각하지 못했던 것이다.

노인은 영주의 어렸을 적 해말갛던 얼굴이 떠올랐다. 의자에 앉아 있노라면 무릎 위에 털썩 주저앉아 채 덜 깎여 듬성듬성한 수염을 만지작거리며 아빠 수염은 너무 꺼끌꺼끌해! 하며 귀염을 부리던 시절. 새벽에 선잠을 깨면 눈을 부비면서 아빠 품으로 파고들어 고사리손으로 목을 껴안고 다시 잠을 청하던 영주. 노인은 갑자기 영주가 보고 싶어졌다. 영주와 현수의 성격이 바뀌었으면 좋았을 것이라고 생각했던 젊었을 적 기억이 새로웠다. 현수는 국문과를 가고 싶어 했지만 노인은 기어이 고집해 사범대에 시험을 치르게 했다. 노인은 영주도 사범대에 가길 바랐다. 그러나 영주는 노인을 속이고 사회대에 몰래 원서를 내 버렸다. 현수는 노인의 말을 거역하지 못했지만 영주는 고집스럽게 원하던 대학에 입학했다.

영주가 감옥에서 석방된 이듬해 5월이었다. 광주의 교육청에서 학무 관계로 회의가 있으니 다녀가라는 전갈이 왔다. 예정에 없던 갑작스런 회의였다. 광주 시내로는 한 번도 진입해 보지도 못한 채 도서벽지로만 근무하다 정년을 바라보고 있는 시골 중학교 교장들에게 광주의 교육청이란 색다른 감회를 느끼게 하는 곳이었다. 교육청에 들어설 때마다 그따위 전출입 문서 몇 장 때문에 여기저기 시골로 흘러다니다 청춘을 다 바쳤구나, 라는 생각으로 만감이 교차하기 때문이었다.

2층 학무국장실에는 말쑥한 차림의 젊은 사람 둘이서 기다리고 있었다. 가끔 들를 때마다 고생한다고 반색을 하던 박 국장은 그날따라 괜히 엉거주춤하니 서성거리다가 겸연쩍은 얼굴로 그 사람들을 소개시켰다.

"교장 선생님 오시느라 수고하셨습니다. 죄송합니다만 공식적인 회의는 아니고…, 시국 관계로 협조해 달라는 공문이 와서 이렇게 올라오시라고 그랬습니다." 천천히 말씀 나누시라는 상투적인 말만 남기고 박 국장은 슬며시 자리를 떠 버렸다.

"교장 선생님 죄송합니다. 워낙 시끄러운 때라 저희 기관에서도 웬만하면 그냥 넘어가려고 그랬습니다마는 워낙 따님이 여러 군데 불순단체에 관계하고 있기 때문에… 따님이 교육자의 자제이고 그래서 따님의 장래를 위해서라도 직접 뵙고 말씀드려야겠기에 이렇게 올라오십사 교육청에 부탁드렸습니다."

젊은 얼굴들은 말은 정중했으나 시골 학교의 교장쯤은 안중에도 없는 듯 기세가 등등했다.

"음, 뭐요? 회의가 아니었습니까."

예정에 없던 5월 달의 회의라 설마했던 터이기는 하다.

"아니! 못난 딸 때문에 할 말은 없습니다마는 마치 비상회의나 있는 것처럼 그렇게 급하게 연락을 보내 놓고…, 육성회를 열기로 예정이 돼 있었는데 연기시키고 부랴부랴 달려왔는데요!"

속았다는 생각에 화가 치밀어서 불쑥 언성이 높아졌다.

육성회의 소집 건은 사실이었다. 넉넉하지 못한 학교 예산 때문에 몇 년째 손보지 못했던 정문 옆 축대 보수공사를 올해는 장마철이 다가오기 전에 육성회의 보조를 받아서 손볼 참이었던 것이다.

하지만 순간적으로 높아진 언성이 기어코 말썽이었다.

그들은 시국에 대해 이야기를 했고, 교육관을 이야기했고 그리고 결국은 영주에 대해 이야기를 했다. 자식 하나도 제대로 교육을 못 시키는 사람이 어떻게 교육자라고 할 수 있느냐며 그래서 영주를 단속하지 못할 바엔 차라리 사직서라도 내라는 것이었다.

노인은 얼굴이 파랗게 질려서 집에 돌아왔다.

그 후로도 매년 5월만 되면 연례행사처럼 광주로 불려 다녔다. 서슬이 퍼런 그들의 얼굴은 매년 바뀌었으나 내용은 똑같았다. 기세등등한 그들이 싫었지만 그런 아비의 고충을 받아들이지 않는 영주도 미웠다. 노인은 대학도 마저 마치고 사회적으로 성공한 다음엔 마음대로 해도 좋다고 설득했으나 영주는 듣지 않았다. 계란으로 바위치기라는 노인의 말에 영주는 바위가 아니라고 했다. 바위처럼 보이는 허상이라고 했다. 그리고 자기는 계란이 아니라고 했다. 뒤가 두툼한 무쇠 망치의 뾰족한 날이라고 했다. 그리고 노인은 바위처럼 보이는 허상의 범주에 속한 계급이라 했다.

세월은 영주의 말처럼 변해 갔다. 바위처럼 보이던 허상들이 조금씩 무너져 내렸다. 하지만 젊은 얼굴들 앞에서 훈계를 들어야만 했던 그 시간들과 무력한 자신을 이해하지 않았던 영주를 노인은 도저히 용서할 수가 없었다.

시간이 얼마나 흘렀을까. 찬바람이 옷깃 사이로 스며들었다. 오싹하니 팔에 소름이 돋았다. 소매를 여미었다. 현수는 줄곧 조는 지 앉아서 미동도 않는다. 조금 더 지켜보다가 깨워서 텐트 안으로 들여보내야겠다고 노인은 생각했다. 물론 이제부터가 새벽 낚시의 본격적인 시간이기는 하다. 그렇지만 초행인 현수가 그걸 알 리가 없다.

갑자기 파르르하며 낚싯대가 떨었다. 찌가 살짝 기울었다. 기울어진 찌가 그 상태로 움직이질 않는다. 노인은 잔뜩 긴장하고 손을 낚싯대에 가만히 얹었다. 왠지 큰 놈이 온 것 같은 예감이 들었다. 잠이 멀찍이 달아났다. 갑자기 머릿속이 하얗게 빈 느낌이다. 그러나 기울어져 있던 찌가 다시 원상으로 돌아오고 말았다. 실망하여 팔에 기운이 빠졌다. 굽혔던 등을 펴며 심호흡을 했다. 노인은 문득 나이 탓인가라는 생각이 들었다. 잔뜩 부라렸던 눈 때문인지 눈자위 주름이 실룩거렸다. 힘을 주었던 시선을 풀고자 딛고 있던 발치께로 눈을 돌려 물속을 들여다보았다. 랜턴 불빛에 흐릿하게 떠오르는 물속은 또 하나의 다른 세계다. 한가하게 흔들리는 물풀과 작은 돌들이 마치 조그만 장난감 도시의 가로수나 석축처럼 보인다. 그 사이로 어린 솔잎만한 송사리나 휘리 치어들이 우루루 몰려다닌다. 밤톨만 한 물방개 새끼도 그 틈에 끼어 있다. 하지만 물은 가장자리부터 깊은 듯 어두웠다.

순간, 찌가 다시 물속으로 휙 하니 파묻혔다. 손이 잽싸게 낚싯대로 향했다. 낚싯줄이 물속으로 삽시간에 끌려들어 갔다. 노인은 재빨리 낚싯대를 당겼다. 그러나 낚싯대만 활처럼 휘어질 뿐 줄은 팽팽하게 당겨진 채 끌려 나오지 않는다. 이번엔 제대로 걸렸나 보다. 묵직한 것이 제법 큰 놈이라는 생각이 들었다. 낚싯대와 줄은 긴장을 유지한 채 미동도 하질 않는다. 노인의 팔에 힘이 실렸다. 노인은 낚싯대를 좌우로 서서히 당기며 줄을 끌어들였다. 푸드득 고기가 수면으로 몸을 튀었다. 얼핏 보아도 시커먼 게 팔뚝만 한 큰 붕어였다. 붕어가 그쯤 되면 일 년에 한두 마리도 찾아보기 힘든 월척이다. 노인은 가슴이 뿌듯해왔다. 회심의 미소를 지었다. 낚싯대가 휙 하니 끌려갔다. 노인도 잠시 늦추었던 줄을 재빨리 다시 잡아챘다. 서서히 붕어의 힘을 빼야 한다고 스스로에게 확인하듯 다짐한다. 노인은 또다시 줄을 잡아당겼다. 그 반동으로 낚싯줄이 크게 흔들렸다. 붕어는 계속 물속에서 맴을 돌고 있다. 순간순간 수면으로 띄워서 공기를 먹여야 붕어가 힘을 잃는다. 줄을 당길 때마다 붕어는 불쑥 튀면서 물속으로 곤두박질했다. 붕어가 뛸 적마다 낚싯대도 끊어질 듯 휘청거렸다. 아차, 싶을 정도로 아직 붕어는 힘이 짱짱하다. 한참은 더 버텨야 할 성싶다. 휘어진 낚싯대 사이로 잠시 정적이 흘렀다. 마지막 고비다. 노인은 서서히 줄을 당겼다. 이제 붕어는 천천히 끌려 나오기 시작했다.

노인은 일어서며 한 손으로 의자 뒤에 놓여 있던 뜰채를 집어 들었다. 조금만 더 가까이 당긴 다음 뜰채로 떠내기만 하면 되는 것이다. 낚싯대를 위로 더 곧추세웠다. 힘이 빠진 붕어가 끌려왔다. 물밑으로 붕어의 모습이 희부옇게 나타나기 시작했다. 붕어는 바로 눈앞에서 어른거렸다. 마지막으로 붕어를 수면에 끌어내기 위해 줄을 당겼다. 잠시 줄이 팽팽하게 긴장이 유지된다. 붕어가 갑자기 불쑥 떠오르더니 사력을 다하는 듯 물속으로 깊이 자맥질을 했다. 낚싯줄이 휘청하니 끌려갔다. 낚싯대마저 손안에서 주룩하니 미끄러졌다. 노인은 한 발을 앞으로 옮기며 낚싯대를 힘껏 버텼다. 이제 마지막 당김질이다. 이번에 붕어가 수면에 떠오르면 뜰채로 담을 참이다. 붕어를 뜰채에 담기 위해 또 한 발을 앞으로 내밀었다. 순간 노인은 물속으로 풍덩하고 거꾸로 처박히고 말았다. 노인은 그때까지도 눈앞에 빙빙 돌던 희끄무레한 붕어만 떠오르며 아무런 생각이 나질 않았다.

현수는 첨벙하는 소리에 잠이 깼다. 아버지는 뜰채를 단단히 잡은 채 물속에 거꾸려져 있었다. 현수는 허겁지겁 물 가장자리로 뛰어들어 아버지를 끄집어냈다. 물에 젖은 겉옷을 벗기고 담요를 뒤집어씌워 텐트 안에 눕히자 아버지는 한기가 가신 듯 비로소 얼굴에 화색이 돌기 시작했다. 현수는 버너를 켜서 물을 끓이고 옷을 짜서 나뭇가지 사이에 우선 아무렇게나 걸쳐 놓고서야 한숨이 돌려졌다. 옛말에 물에 빠진 사람은 유독 무겁다고 했지만 아버지는 생각보다 가벼웠다. 근육이 풀어져 두부처럼 말랑한 팔뚝이나 물에 젖은 숱 적은 흰머리, 주름 섞인 미간, 어둠 속에 언뜻 보이는 검버섯들이 여지없는 칠순 노인의 몸이었다. 숨을 몰아쉬며 눈을 꼭 감고 있는 아버지의 젖은 얼굴을 수건으로 닦고 나서 현수는 담요 위로 손발을 주물렀다. 아버지는 한참 지나서 눈을 감은 채 현수에게 물었다.

"붕어는 놓쳤지? 그놈 꽤 큰 놈이었는데…"

현수는 아버지의 마음이 상하지 않도록 낮게 대답했다.

"잊어버리세요. 아무 생각 마시고 한숨 주무세요. 이만하길 다행이지요. 이놈의 호수가 가장자리부터 갑자기 깊어지니 뒤탈이 나지…."

"아니다. 밤낚시는 힘든 게야. 네 아니면 저녁에 낚싯대 거뒀을 것이야. 내 나이가 몇인데…."

버너의 물이 보글보글거린다. 텐트 안이 제법 훈훈해진다. 바깥이 차츰 하얗게 밝아 온다.

"이제 안 추우시죠."

아버지는 눈을 살며시 뜨고 현수를 바라본다. 담요 밖으로 가만히 손을 내밀어 현수의 손을 잡는다. 현수도 아버지의 얼굴을 바라본다. 현수는 괜히 콧등이 찡해 온다.

"이제 낚시도 그만둘 때가 왔나 보다. 네 어미는 가끔 낚시 가방도 보기 싫다고 버리라고 성화를 부리더라만은 네가 가방을 거둬 가렴. 직장 동료나 친구들이랑 낚시 다닐 때가 있을 테니. 나는 이제 다른 노인들처럼 가까운 산으로 등산이나 다녀야 할까 보다."

아버지의 이런 모습은 현수로서는 처음이었다. 마치 단단히 압축돼 있던 필름이 차르르하며 순식간에 풀려 버린 것처럼 연로해 가는 아버지의 세월을 한꺼번에 봐 버린 느낌이었다.

"낮엔 소일 삼아 가끔씩 다니세요. 평생 즐기시던 낚시인데…."

현수가 채 말을 끝내기도 전에 아버지는 고른 숨소리를 내쉬기 시작한다.

현수는 텐트 밖으로 나왔다. 바닥에는 낚시 도구들이 어지러이 널려 있다. 찌는 여전히 물위에 뜬 채로 흔들린다. 현수는 쓰러진 낚싯대를 수습했다. 엎어진 미끼통도 바로 세웠다. 지렁이들이 굵은 실타래처럼 고물고물 모여 있다. 지렁이 한 마리를 뽑아서 바늘에 꿰었다. 낚싯대를 조심히 물속에 담근 후 현수는 아버지의 낚시 의자에 앉았다.

하늘이 차츰 밝아 오면서 물과 산과 들이 옷을 갈아입듯이 본래의 색을 드러내기 시작한다. 물위에는 안개가 희뿌옇게 퍼져 있다. 하얀 안개들은 물속에서 생겨난다. 물에서 생긴 안개는 점점 위로 떠오르다 이윽고 바람에 흩어진다. 그러면서도 끊임없이 안개는 다시 생겨난다. 마치 또 하나의 바다처럼 물알갱이들은 호수 위를 가득 채우고 있다. 수면과 하늘은 안개의 바다로 서로 잇닿아 있다. 안개의 물결은 바람을 따라 옆으로도 흐른다. 안개는 풀을 어루만지며 나뭇가지를 지나 골짜기를 메우며 흘러간다. 안개는 낮은 구릉을 가득 채우고 나자 이제 산봉우리로 몰려간다. 사이사이 바람이 불어와 안개의 물결을 흩뜨리기도 한다. 안개는 현수에게도 흘러와 안면을 간지럽힌다. 볼을 스치고 미간을 부드럽게 어루만지며 지나간다. 안개가 스치고 지나간 자리에는 물기가 밴다. 호수 저편, 산 너머로부터 동이 트기 시작한다. 태양은 따뜻한 느낌의 분홍빛이다. 햇빛이 닿기 시작하는 곳부터 안개는 반짝거리기 시작한다. 안개는 반짝거리면서 차츰 줄어들기 시작한다. 반짝거리는 물안개 사이로 빠알간 찌들이 바람에 일렁이며 한가로이 떠 있다.

어느 오후

김씨는 갑자기 담배 냄새가 지겨워졌다. 남자들 몇몇이서 경쟁하듯 연기를 토해 내면 환풍기가 돌아가고 있지만 감당하지 못해 시야가 흐려졌다. 마트 문을 열고 밖으로 나왔다. 가게 앞 도로가 횅했다. 하늘도 구름이 잔뜩 몰려 흐렸다. 그렇다고 비가 올 날씨는 아니었다. 정류장에서 서성거리면서 버스를 기다리고 있던 행인 중 한 사람이 가게 가까이 다가왔다. 그는 얼른 가게로 들어가서 손님을 맞이해야 했다. 손님은 기껏해야 담배를 사거나 교통카드를 충전할 것이다. 손님은 마트에 들어서면서 아직 덜 빠져나간 담배 연기 때문에 얼굴을 찌푸렸다. 그는 가게에서는 보이지 않지만 안쪽 노름판이 신경 쓰였다.

　　25시 마트는 이름만 그럴듯하지 장사가 잘 되지 않았다. 마트의 가게 터가 길목 좋은 사거리에 자리 잡은 것도 아니고 그렇다고 사람들의 출입이 잦은 상점 밀집 지역도 아니기 때문이다. 애초에 그런 곳에 마트를 열겠다고 가게를 벌인 사람이 세상 물정을 모르는 순진한 사람이라고 해야 옳았다. 지방직 9급 공무원으로 들어갔다가 7급 주사도 못 해 먹고 사표를 써 퇴직하고 마트를 차린 주인 김씨가 그런 사람이었다. 다니던 면사무소에서 부정 사건을 상관 대신 책임을 지겠다고 사표를 냈던 본새부터가 정상은 아니었다. 가게 앞으로 도로가 널찍하게 뚫려 있고 버스 정류장도 바로 옆에 있어서 언뜻 보기에는 열심히만 하면 그럭저럭 먹고사는 데는 지장이 없을 것처럼 보였을 것이다. 공교롭게도 근처에 마트가 하나도 없다는 것이었다. 그런 이유 때문에 김씨는 이만하면 되겠다 싶어 그곳에 덜컥 가게를 차리고 말았던 것이다.

마트에서 노름판이 벌어지면서 매출이 올라간 것은 본업보다 부업으로 가게를 유지하는 꼴이었다. 마트에 자주 들르던 사람들이 장난처럼 커피 내기로 시작하였던 고도리 판이 상습적인 노름판으로 변해 갔다. 사람들은 개평을 뜯어서 담배를 사거나 캔맥주나 소주를 마시면서 안주로 쥐포나 오징어, 컵라면 등속을 사 먹었다. 개평은 임자가 없는 돈이기 때문에 먹고 보자는 심사로 이것저것을 주문하여 매상을 올려 줬다. 그러다 밥때가 되면 짜장면이나 만두를 시켜 먹기도 하고 커피도 배달을 시켜 마셨다.

김씨는 도박판 손님들에게 술과 안줏거리를 팔 때 소위 소비자 권장가격이라는 할인되지 않은 가격을 매겼다. 김씨 입장에서 보면 바가지를 씌우는 것이 아니라 자릿세를 받아야 하니까 당연한 노릇이었다. 그 수입이 그런대로 짭짤했다. 어쩌다 재수 좋을 때는 돈을 많이 딴 사람한테 푼돈을 얻어먹을 수도 있었다. 단속 같은 것은 걱정할 것이 없었다. 노는 사람들이 모두 동네 사람들이어서 파출소에 신고할 사람도 없었다. 설마 신고했다 하여도 동네 사람들이 커피 내기 고도리 치는데 어떻게 단속할 수 있느냐고 오히려 잘 놀다 가시라고 경찰이 격려를 해야 할 판이었다. 어떻든 파출소 차석도 가끔씩 합류를 했던 터였다.

처음부터 의도했던 것은 아니었지만 일이 이상하게 풀리면서 25시 마트는 이제는 상습적인 동네 도박장이 되었다. 근처에서 그만그만한 가게를 운영하거나 장사하는 사람들이 빠르면 오전 11시부터 모이기 시작하거나 늦어도 점심시간이 지나면 반드시 판이 시작되었다. 그래서 개평이 걷히면 커피를 마셔대기 시작했고 그래서 다방 아가씨들이 하루에 대여섯 번은 반드시 마트를 들락거려야 했다. 그리고 단골로 주문을 하는 곳은 최 마담이 운영하는 대흥다방이었다. 그런데 네거리 근처에 로터리다방이라는 간판을 단 다방이 하나 더 문을 열었다.

커피를 주문하는 전화벨 소리가 갑자기 줄어든 것이 벌써 열흘이 다 되어 가고 있었다. 다른 곳은 그렇다 치더라도 철썩 같이 믿고 있었던 길 건너 마트마저 최근 들어서는 고작해야 하루에 한 번 주문을 해 오거나 어떤 날은 건너뛰기까지 했다. 최 마담은 마음이 편치 않았다.

그날은 최 마담은 하루 날을 잡아 선팅 유리창 너머로 길 건너편 25시 마트를 지켜보기로 작정한 날이었다. 아나나 다를까 겨우 엉덩이만 가린 소위 똥꼬 바지라고 부르는 짧은 반바지를 걸친 아가씨들이 커피 보자기를 들고 마트 유리문을 들락거리는 것이 점심 때 전후로 두 번이나 목격되었다. 처음 한 번은 그런대로 참았지만 두 번째로 엉덩이를 흔들고 들어가는 아가씨의 뒷모습을 바라보고 있자니 화가 치밀어 도저히 견딜 수가 없었다.

최마담은 마트에서 로터리다방으로 주문을 한 사람이 도대체 어떤 인종일까 궁금해졌다. 그녀는 마트를 출입하는 사람들 얼굴을 하나둘 떠올려 보았다. 마트 주인 김씨, 이발소 박씨, 마을금고 전무, 세차장 막봉이, 여관 황 사장, 중국집 정씨 …, 순간적으로 그만그만한 남정네들의 얼굴이 뇌리를 스쳐 갔다. 주인 김씨는 그럴 리는 없고, 마을금고 전무는 그녀와 돈 거래가 있으니까 다른 생각을 못할 것이고, 세차장 막봉이는 주차장 문 사장과 의리상 절대 아닐 것이고, 아무래도 줏대 없는 이발소 박씨나 여자라면 사족을 못 쓰는 여관 황사장이 의심이 갔다. 최마담은 며칠 전만 같으면 보자기를 들고 바쁘게 핑핑 돌아다녀도 시원치 않을 박양이나 정양이 테이블에 앉아서 농담이나 따먹고 있는 꼴도 보기가 싫어졌다. 최마담은 전화기를 들어서 문 사장 핸드폰 번호를 신경질적으로 찍었다.

─어디에요?

─어디긴 어디야, 주차장이지. 왜!

문 사장이 퉁명스럽게 받았다.

─그러면 주차장으로 전화할게요.

핸드폰 전화 요금이 아까워 최마담은 다방 전화기를 들었다.

─로터리에 못 보던 가시내들이 나타나면서 매상이 뚝 떨어졌어요.

─뭐, 무슨 큰일이라고, 나도 봤어. 가시내들이 몸매 하나는 쭉쭉 빠져서 다방에서 썩기 아까운 애들이드라고, 박 마담은 어디서 그런 아이들을 데리고 왔는가 모르겠어. 선불 깨나 땡겨 줬겠던데.

문 사장은 오히려 약을 올렸다.

─아무리 그렇지만, 우리가 마트하고 일이 년 단골이야! 좀 어린 애

들 왔다고 로터리에 주문하고….

　−마트에서 로터리에 주문을 했어! 그러면 안 되지. 가만히 있어
봐, 내가 한 번 마트에 전화는 해 놓을게.

　−그래, 알았어요.

　그렇게 문 사장에게 하소연이라도 하고 나니까 그녀는 조금 화
가 풀리는 것 같았다. '이번 기회에 우리도 티켓 다방 식으로 돌려 버
려…' 그녀는 온갖 생각이 다 들었다. 정양이 첫 출근하던 날, 인사차
근처의 업소를 한 바퀴 삥 돌았을 때 정양의 위아래를 훑어보면서 '최
마담, 대흥은 티켓 운영 안 해!'라면서 눈을 끔벅거리던 여관 황 사장
의 얼굴이 떠올랐다. 그때는 '누구 좋은 일 시키라고 그렇게 해.'라고
중간에 말을 뚝 잘랐지만 혹시라도 로터리에서 티켓 다방으로 운영을
한다면 그녀도 따라할 수밖에 없겠다는 생각이 들었다. 마침 전화벨
이 울렸다.

　−마트요, 커피 석 잔, 알았어요. 금방 갈게요.

　박양이 콧소리 섞인 음성으로 전화를 받고는 수화기를 탁하고 소
리 나게 내렸다.

　−언니, 마트에 커피 석 잔.

　박양은 주방으로 쪼르르 달려가서 잔을 챙겼다.

　−커피 대여섯 잔쯤 넉넉하게 넣어라. 그리고 정양도 같이 가자.

　문 사장이 마트에 전화를 하긴 했던 모양이었다.

　−언니, 다섯 잔이 아니라 석 잔이에요.

　눈치 없이 박양이 말꼬리를 물었다.

　−알고 있어, 이년아. 다른 생각이 있어서 그래.

최마담은 괜히 박양에게 면박을 주었다. 영문을 모르는 정양은 보온병에다 착실히 커피를 따랐다.

마트는 담배 연기로 자욱했다.

두 칸 중 한 칸은 잡화나 생필품이 진열대에 쌓여 있는 판매장이고 안쪽 한 칸은 유리창을 검정색으로 선팅을 해 놓아 밖에서는 보이지 않도록 꾸며 놓았다. 문을 열고 들어가면 가운데는 칸막이가 되어 있어 일부러 들여다보려고 하지 않으면 안에서 무엇을 하는지 알 수가 없었다. 매장이라고 했지만 조립식 철제 진열대에 쌓여져 있는 것은 과자 부스러기나 안주류, 그리고는 맥주와 소주가 냉장고에 가득차 있을 뿐이었다. 최 마담은 아가씨 둘을 앞세우고 의기양양하게 칸막이 너머로 들어섰다.

―아이고, 이 삼시랑들아, 담배 좀 웬만큼 피워!

갑자기 최 마담 일행이 한꺼번에 들어서자 의외라는 듯이 사람들은 힐끔 시선을 보냈지만 자기 앞의 화투 패에 신경을 쓰느라 대꾸도 없었다. 막봉이는 판에 끼지 않고 구경만 하고 있었다.

―오늘 대흥다방 또 개업했는가, 총출동하게. 최 마담은 오라고 하지도 않았는데… 불청객이 목청은 더 크네!

중국집 정씨가 은근히 찍어 댔다.

한 차례 광이라도 팔았는지 쉬고 있던 황 사장은 '아이고, 우리 애인 왔어, 내 옆에 앉아.'라고 말하면서 재빨리 박양을 끌어다 자기 옆의자에 앉혔다. 박양은 기다렸다는 듯이 풀고 있던 보자기를 정양에게 밀어 넘기고 냉큼 황 사장 곁에 가서 앉았다. 황 사장은 '어디, 우리

아가씨 그동안 많이 컸어.'라고 말하면서 박양의 가슴 언저리를 슬슬 문질렀다. 박양은 처음만 살짝 몸을 뒤척였을 뿐 황 사장 허리에 척하니 손을 두르는 것이 한술 더 떴다. 황 사장에게 달라붙는 박양을 보고 기가 질렸는지 보온병을 기울여 커피를 따르던 정양이 약간 엎지르고 말았다. 최 마담은 정양의 옆구리를 쥐어박으며 보온병을 빼앗아 능숙하게 커피를 부었다. 고개를 숙인 정양의 목덜미가 빨갛게 변했다. 커피를 한 잔씩 두루 돌리고 보니 여섯 잔이나 되었다.

　－요즘 로터리에 커피 주문한 사람 누구여.

　최 마담은 좌중을 둘러보며 큰소리쳤다. 그러나 실은 황 사장과 정 씨를 겨냥한 것이었다. 아무도 들은 척을 하지 않았다. 문간에 앉아 있던 마트 김씨만이 '우리는 커피 석 잔밖에 안 시켰는데…' 하면서 고개를 갸웃거렸다.

　－미운 사람 떡 하나 더 준다고…, 내가 서비스로 가져왔으니까 추가분은 신경 쓰지 마쇼.

　최 마담이 해명을 했다.

　－어디, 정양아. 내 손 한 번 만져 주라. 기리 좀 살게.

　금고 전무가 우두커니 서 있는 정양의 손을 만졌다. 정양은 잡힌 손을 빼지 못하고 엉거주춤하니 서 있었다. 건너편의 막봉이가 그것을 보고 얼굴을 찌푸렸다.

　－누님, 이번에 로터리에 끝내주는 영계들이 몇 명 새로 왔답디다.

　최 마담의 눈치를 슬슬 살피며 막봉이가 말했다.

　－그래서, 로터리에 네가 주문했냐!

　－아니요, 나는 절대 아니요.

막봉이 사래를 쳤다.

─그러니까, 최 마담, 좀 화끈한 영업 정책을 좀 펴 봐. 영계가 없으면 몸으로라도 때워야 할 것 아니여.

황 사장이 이번에는 박양의 허벅지를 만지면서 말을 뱉었다.

─아따, 우리 다방 아가씨들이 어째서 그래, 이만하면 촌구석에서 미쓰 코리아 감이지.

최 마담도 맞대꾸를 했다.

─미쓰 코리아는 얼어 죽을 미쓰 코리아, 신경 쓰이니까 커피 값 받았으면 얼른 가쇼.

이발소 박씨가 돈깨나 잃었는지 신경질을 냈다.

─최 마담, 그럼 언제 저녁 영업 끝내고 아가씨들이랑 같이 회식이나 한번 하세. 노래방에도 가고….

전무가 눈을 찡긋하며 정양의 손을 놓았다. 황 사장은 박양을 아예 무릎에 앉혀 놓고 있었다. 최 마담이 가자는 눈짓을 보이자 박양은 발딱 일어나서 커피 잔을 챙겼다. 황 사장은 아쉬운 듯 최 마담을 한참 노려봤다.

─황 사장님, 커피 값도 안내면서 공짜 서비스만 즐기시니 대머리가 벗겨지지요.

─그것은 맞는 말이네요. 여기 나 같은 총각도 젊잖게 있는데.

막봉이가 맞장구를 치면서 보자기를 싸는 정양을 바라보았다.

최 마담은 마트를 나왔지만 기분은 찜찜하니 개운하지가 않아 길을 건너기 전에 2층의 로터리다방을 한참이나 노려봤다. 로터리다방 주방 쪽 유리창 창살에 누렇게 바랜 행주가 몇 장 바람에 휘날리고 있었다.

김씨는 화투에 빠져 있는 이발소 박씨 곁으로 다가가서 물었다.

—어이, 이발소 안 내려가, 손님 없어?

—손님이 오면 이리 전화하라고 했어.

박씨는 귀찮게 왜 묻느냐는 투다.

—아니, 나는 심심해서 내려가서 테레비나 볼라고.

—그럼 가게는 누가 보고?

—막봉이가 있으니까. 저 하늘 좀 봐. 비가 올 것 같은데 누가 세차하겠어.

김씨는 막봉이를 힐끔 보았다.

—아저씨, 또 이발소 내려갈라고 그렇지요. 이발소에 껌 붙여놨소! 꼭 하루에 한 번씩은 내려가구만이라. 나는 혹시라도 차 들어오면 금방 가야 돼요.

—알았다. 그냥 한 시간만 있다 올게. 그 사이에 차 들어오면 전화해. 뭐 한 건물인데….

김씨는 마트를 나와서 이발소로 들어섰다. 빨간색과 하얀색이 옆으로 길게 꼬이며 돌아가는 이발소 표시의 원형의 둥그런 전광 기둥 옆으로 '낙원이용원'이라고 쓰인 간판이 새삼스럽게 눈에 들어왔다. 볼수록 김씨는 낙원이라는 말이 이름 한 번 잘 지었다는 생각이 들었다. 이발소 문을 열고 들어서자 여전히 포마드 냄새가 코를 찔렀다. TV를 보고 있던 이양과 박양이 황급히 일어서다가 들어선 손님이 김씨라는 것을 알자 박양은 그대로 눌러앉았다.

—이양아, 김 사장님 오셨다.

소파에 눌러 앉아 버린 박양이 이양을 바라보며 목소리를 이상하게 꼬면서 말했다. 이양은 재빨리 슬리퍼를 들고 와서 김씨 앞에 내놓으며 잠바를 받아 옷장에 걸었다.

　－어떻게 짬이 났어요?

　이양은 김씨에게 안쪽으로 들어가라는 듯이 가려져 있던 커튼을 젖혔다. 김씨는 아무 대꾸도 않고 안으로 쑥 들어갔다. 이렇게 꾸며놓으니 안쪽도 꽤 깊은 것처럼 느껴졌다. 불을 켜고 커튼을 젖힌 채 실내 공간 전체를 바라본 적은 한 번도 없었다. 같은 건물이라 일층의 마트 공간으로 짐작만 할 뿐이었다. 면도사 아가씨들은 항상 손님이 의자에 앉고 나면 커튼을 치고 나서야 비로소 희미한 실내등을 켰다. 그래서 보이는 것은 손님과 면도사 그리고는 정면에 붙어 있는 거울이 전부였다. 옆 칸에 다른 손님이 들어와도 소리만 들리지 않으면 전혀 모를 지경이었다.

　－사장님, 잠깐만 누워 계세요. 타올 좀 가지고 올게요

　실내등을 켜 놓고 이 양은 면도 도구를 가지러 나갔다. 김씨는 의자에 올라가기 전에 거울을 바라보았다. 거울 속에는 꾀죄죄한 중년의 사내가 엉거주춤하니 서서 김씨를 바라보고 있었다. 하얀 런닝에 낡은 양복바지, 실내용 슬리퍼를 신고 정면을 바라보고 있는 남자, 거울 속의 사내가 김씨는 한 번도 본 적이 없는 전혀 낯선 사람처럼 느껴졌다. 김씨는 좌석에 길게 누워 눈을 감았다.

　이런 이발소에 맨 처음 관심을 가지게 된 것은 오래전 총각 때였다. 하필 그날은 결혼식 아침이었다. 오전 11시 결혼이라 신부들은 미용실에 앉아서 화장을 하느라 난리를 피우면서 서두르겠지만 남자들은 의외로 단출하게 할 일이 없었다. 결혼식과 폐백은 예식장에서 알

아서 다 해 주고 하객은 식당에서 불고기 백반으로 끝내 주고 그리고 공항으로 가서 비행기만 타면 그만이었다. 김씨는 그래도 명색이 결혼식인데 머리라도 단정히 만져야겠다고 생각하여 정류장 옆 이발소에 들어갔다. 어쩐지 처음부터 김씨를 안쪽의 좌석으로 안내하는 것이 이상했다. 김 씨는 의례적으로 잘해 달라고 말하고는 의자에 누웠다. 사각사각 머리 깎는 소리를 들으며 깜박 잠이 들었다가 눈을 뜨니 어느새 끝나가고 있었다. 면도사 아가씨가 얼굴에 화장품을 바르면서 갑자기 김씨의 귀에 대고 뭐라고 속삭였다. 처음에는 무슨 말인지 알아들을 수가 없었다. '뭐, 뭐라고!' 김씨는 눈치 없게 되물었다. 아가씨는 더 크게 속삭였다. 이번에는 김씨의 귀가 울릴 지경이었다.

　─특별 서비스 받으시겠냐고요?

　얼굴에 팩을 바른 데다 눈 위로 화장지를 붙여 놓았기 때문에 아가씨의 표정을 볼 수는 없었다. 순간 김씨는 특별서비스라는 말에서 변태적인 성행위를 나누는 모습이 연상되었다. 곧 이어 음습하고도 느끼한 감각 때문에 구역질을 할 뻔했다. 곧 결혼식에 가야 할 사람에게 이런 이야기를 하다니… 기가 막히기도 하였다. 김씨는 하긴 내가 오늘 결혼할 신랑이라는 말을 하지 않은 이상 그 여자가 어떻게 알겠는가, 라고 생각하고 참아 냈다. 김 씨는 싫다는 표시로 고개를 좌우로 몇 번 흔들었다. 아가씨는 실망을 했는지 갑자기 손 맵시가 거칠어졌다. 김씨는 면도를 끝내고 일어날 즈음, 커튼으로 칸막이가 된 옆 좌석에서 새어나오는 이상한 소리를 듣고야 말았다. 나지막한 신음 소리는 여자의 소리가 아니라 남자의 소리였다. 김씨는 이발사 아저씨가 머리를 한 번 더 다듬어 주겠다는 것도 마다하고 서둘러 나오고 말았다. 그 후로 몇 년쯤은 이발소 간판만 보면 김 씨는 왠지 속이 메슥거렸다. 머리를 자르기 위해서 이발소를 찾으러 다닐 때마다 소위 특별 서비스를 하는 곳인지 아닌지를 구분하여 출입을 하였다. 대개는 목욕탕에 딸린 이발소에서 잘라 버리는 것이 제일 편했다.

이발소에 대한 김씨의 생각이 바뀐 것은 몇 달 전이었다. 이발소 박씨가 노름 밑천을 꾸어 간 것이 화근이었다. 다들 고도리 판에서는 '운칠기삼'이라고 했듯, 결국은 삼십 프로의 기술이 승패를 좌우했다. 어떻든 이발소 박씨는 화투에 서툴렀다. 어쩌다 운이 좋은 날은 따기도 했지만 대체로 잃는 편이었다. 그날도 박씨는 앉자마자 내리 돈을 잃기 시작했다. 한 시간도 지나지 않아 가지고 있던 돈이 바닥이 났다. 다른 날 같으면 이발소에 내려가서 금고를 뒤져서 그날 벌어 놓은 돈을 가져다가 다시 시작하곤 했다. 그런데 그날은 이발소로 내려갈 생각은 않고 김씨에게 금방 주겠다고 약속하고 돈을 빌렸다. 김씨는 설마하니 몇 푼 안 되는 돈을 떼이랴 싶어 돈을 꿔 주기 시작했다. 꾼 돈으로 다시 시작한 박씨는 처음에 잠깐 오르는가 싶더니 그 돈마저 금방 잃고 말았다. 그렇게 박씨는 김씨에게 빚을 지기 시작했다.

낙원이용원은 면도사 아가씨가 특별서비스를 해 주는 소위 퇴폐이발소였다. 김씨는 마트가 있는 건물 지하에 박씨의 이발소가 있었지마는 예전의 불쾌했던 기억 때문에 한 번도 출입을 해 보질 않았다. 그런데 박씨에게 받을 빚이 생기면서부터 처음으로 이발소 출입을 시작하게 되었다. 돈이라는 것은 인간에게 단순한 화폐 이상의 능력을 부여하는 기이한 물건이었다. 당장 호주머니에 돈이 없으면 불안한 것이 사람 심리였다. 아무것도 의식하지 않고 거리를 나다니다가도 지갑을 빠뜨리고 나온 것을 알고 나면 그때부터 불안해하는 것이 인간이었다. 돈을 빌려주고 받는 것도 그와 비슷했다. 평소에 친했던 사람이라도 한 번 돈거래를 하기 시작하면 두 사람의 대등한 관계는 깨지고 말았다. 돈을 빌려준 사람은 강자가 되고 빌린 사람은 약자가 되었다. 큰돈은 아니었지만 둘 사이에 금전관계가 맺어지자 박씨와 김씨 사이도 보이지 않는 힘의 강약관계가 자연스럽게 형성이 되었다. 전에는 박씨에게 그래도 꼬박꼬박 존댓말을 쓰던 김씨의 말투는 어느새 반말 비슷하게 변해 버렸다. 박씨도 그것이 편한지 별 내색을 하지 않았다. 어떤 때는 김씨는 마치 박씨가 자기의 종업원 중의 한 사람인 양 느껴질 때도 있었다. 고도리 판도 붙지 않아 가게에 아무도 없고 김씨가 잠깐 어디를 나갔다가 와야 할 때에는 이발소로 전화를 하여 박씨에게 가게를 봐 달라고 할 때도 있었다. 그러다 보니 김씨는 심심하면 계단을 내려가 이발소에도 들르게 되고 면도사 아가씨들하고도 얼굴을 터놓고 지내기 시작하였다.

이발을 해야 할 날짜를 넘겨 버려 머리가 부스스한 김씨가 잠깐 이발소에 들렀다가 결국은 이발에다 안마, 그리고 차마 남에게 말할 수 없는 짓까지 하고 만 것이 몇 달 전이었다. 김 씨는 그 짓을 꼭 원해서 했다고만은 생각하지 않았다. 김씨도 사내인즉슨 이발소를 출입하면서 눈에 밝히는 여자가 있는 것은 당연한 이치였다. 이양은 얼굴은 박색이었지만 몸매는 김씨가 좋아하는 날씬한 타입이었다. 손님이 없어 무료하게 앉아 있는 아가씨 둘과 얼굴을 마주 보고 있자면 남자라면 누구나 속으로 상상하기 마련이었다. 대개는 혹시 기회가 생긴다면 어떤 아가씨를 선택할 것인가 라거나 어떤 아가씨 몸매가 더 좋을까,

혹은 누가 더 서비스를 잘할까 그런 불량한 상상들이었다. 그러나 김씨는 이양에게 호감을 느낀 것은 그런 상상의 결과가 추호도 아니었다. 그는 이양을 처음 볼 때부터 혹할 정도로 몸매가 아름답다고 느꼈다. 물론 그 판단은 모든 남자가 이양을 바라보았을 때 보편적으로 느낀다는 것은 결코 아니다. 다만 김씨의 경우가 그렇다는 말이었다.

김씨는 홀에서 박씨에게 머리를 깎이었고 그리고 자연스럽게 이양에게 인도되어 커튼 안의 불 꺼진 공간으로 안내가 되었다. 김씨는 혹시라도 커튼 안으로 들어가는 자기의 뒷모습을 보면서 박 씨가 뜻 모를 미소를 짓고 있을는지도 모른다는 생각을 하며 얼굴을 살짝 붉혔다. 혹시 박씨가 이양에게 특별히 서비스를 잘해 달라고 했는지도 모른다는 생각도 들었다. 이양은 마치 포수에게 잡혀 온 양처럼 온순해진 김씨를 의자에 눕혔다. 그녀는 서두르지 않고 하나하나의 과정을 천천히 능숙하게 밟아 나갔다. 그녀는 먼저 따뜻한 물에 담갔다가 짜낸 수건을 그의 얼굴에 덮어 주었다. 그것은 참 기분 좋은 일이었다. 그렇게 그의 피부를 부드럽게 풀어주고 나서 얼굴의 여기저기를 로션인지 비눗물인지를 묻혀 가면서 정성스럽게 면도하기 시작하였다. 턱에서 볼로, 볼에서 이마로, 이마에서 다시 턱으로 왔다가 코 밑 수염을 깎고 다시 턱으로, 그녀의 손은 차갑지만 부드러웠다.

면도가 끝나자 이번에는 안마가 시작되었다. 그녀는 안마가 시작되기 전에 여자들이 가끔 잠자기 전에 하던 팩을 눈과 입 주변만 빼고 그의 얼굴에 묻혔다. 그리고 나서 그의 눈 위에 습자지처럼 얇은 종이를 붙였다. 팩이 굳어지면서 얼굴 부위가 팽팽하게 당겨 왔다. 그는 꼭 감고 있던 눈을 살며시 떴다. 눈썹에 종이가 거칠게 닿았다. 무채색의 하얀 벽이 눈앞에 있었다. 형광등이 켜져 있는 부위만 다른 곳보다 더 밝게 비칠 뿐이었다. 그녀는 그가 누워 있는 옆에 의자를 놓고 차분히 앉았다. 그녀는 그의 배 위에 엉거주춤하니 놓인 한쪽 손을 의자 밖으로 끌어다 자연스럽게 그녀의 허벅지 위에 놓았다. 그는 그 동작이 그의 상체를 안마하기 전에 필수적으로 하는 과정처럼 느껴졌다. 그의 신경은 그녀의 허벅지 위에 놓인 손끝에 모였다. 그는 손가락 하나도 꼼지락거리지 않은 채 그녀가 하는 대로 내맡겨 놓았다. 그의 신경은 그의 손가락이 닿은 그녀의 허벅지 부위가 맨살인가를 규명하기 위해 곤두서 있었다. 하지만 그녀가 그의 상체를 안마하기 위하여 몸을 심하게 흔들 때 닿았던 감촉으로 금방 맨살이라는 것을 알게 되었다. 그뿐만 아니었다. 그녀의 젖가슴도 그의 몸 여기저기에 아무렇게나 닿고 있었다. 그녀는 그의 발부터 시작하여 허벅지, 배, 어깨를 주무르고 나서 다시 반대편으로 옮겨서 반복하였다. 그러고 나서 그녀는 의자 위로 올라왔다.

그는 그녀를 의식하지 않고 내맡겨 버리려고 작정했지만 그녀의 손길이 몸의 구석구석에 닿자 몸이 풀어지기는 고사하고 오히려 전신에 잔뜩 힘이 쏠렸다. 그가 누워 있던 의자 위로 올라온 그녀의 동작이 미묘해지기 시작했다. 그녀는 무릎으로 그의 허벅지를 누르면서 동시에 손으로는 그의 가슴께를 주물러 대기 시작하였다. 그러더니 이번에는 아예 그의 다리 사이에 무릎을 꿇고 손으로 허벅지부터 애무하듯 부드럽게 만지기 시작하였다. 그는 긴장하여 잔뜩 사렸으나 몸은 말을 듣지 않았다. 서서히 발기가 되고 있었다. 그녀의 손이 이제 그의 성기 언저리까지 접근하여 주물러 댔다. 그의 성기는 발기가 되어 속옷과 부딪쳤다. 그가 발기한 사실을 이미 그녀도 알고 있을 것이라고 생각하였다. 순간 그녀가 마치 예전 그의 결혼식 날 이발소의 면도사가 그랬던 것처럼 그의 귀에 속삭였다.

—사장님, 서비스 해 드릴까요.

—어떻게 하는데?

그녀의 목소리 톤만큼이나 그의 목소리도 낮게 깔려서 나왔다. 그의 귀에 그 소리가 마치 다른 사람의 음성처럼 들렸다.

—원하시는 대로 해드려요.

그는 잠시 혼란에 빠졌다. 성교도 한다는 말일까?

—무엇 무엇이 있는데?

그는 용기를 내어서 물었다.

—…손하고, 입하고, 그리고 진짜 하는 것….

그녀는 잠시 사이를 두었다가 짤막하게 대답했다.

—진짜로도 해 주나?

그는 묻는 김에 시원하게 알고 싶었다.

—예, 꼭 원하신다면….

이번에는 체념한 듯 그녀의 대답이 바로 나왔다.

—가격이 다른가, 진짜로 해 주는 것은 얼마야?

그는 금액이 차이가 나겠다는 생각이 들었다.

—삼만 원을 더 받아요.

—…….

발기되었던 그의 성기가 허물어지고 있었다.

—그냥 한 번 안아만 보면 안 될까?

이상하게도 생각하지 않았던 말이 그의 입에서 불쑥 튀어나왔다.

—……알아서 하세요.

이미 판이 깨졌다고 생각했는지 그녀의 목소리에 힘이 빠졌다. 그녀는 그의 다리 사이에 엉거주춤하니 무릎을 꿇은 자세로 가만히 있었다.

그는 양손을 허공에 내밀어 그녀를 보듬는 자세를 취했다. 그녀가 그의 손을 맞잡으며 그의 품으로 쓰러지듯 천천히 넘어졌다. 그의 한쪽 손이 그녀의 허리 맨살에 닿았다. 부드러운 살 감촉이 느껴지자 그는 다시 충동적으로 성욕이 솟구쳤다. 그의 손은 속살을 훑고 브래지어 밑까지 파고들어 그녀의 젖가슴에 닿았다. 오종종하니 앙증맞다싶은 작은 젖꼭지가 만져졌다. 그녀가 살짝 몸을 뒤틀었지만 거부하지는 않았다. 그는 그녀의 젖가슴 위에 손을 넣은 채 아무런 말도 하지 않고 가만히 있었다. 그녀도 숨을 죽인 채 그대로 있었다. 잠시 후 그는 '이제 됐어.'라고 말하고는 그녀에게서 손을 거두었다. 그녀는 일어나더니 의자 아래로 내려갔다. 그리고 그의 얼굴에서 팩을 떼어 내고는 끝났다면서 그의 등을 일으켜 세웠다. 그는 아무 말도 않고 의자에서 내려와 커튼 밖으로 나왔다. 그리고 상의에서 지갑을 꺼내어 박씨에게 이발 값 외에 삼만 원을 얹어 줬다. 박씨는 이미 모든 것을 알고나 있다는 듯이 심드렁한 표정으로 돈을 금고에다 넣었다. 이발소 계단을 오르면서 김씨는 마음속으로 차라리 그녀와 관계를 맺어 버릴 걸 하고 후회가 되기도 했다.

그날 이후로 며칠간 그의 머릿속에서 그녀가 떠나질 않았다. 손가락 끝에 그녀의 유두 감촉이 계속 남아 있었다. 그 일이 있고 그는 일주일쯤 지나서 결국 다시 지하 계단을 내려갔다. 그리고 그날은 그녀와 관계를 맺었다. 그가 하겠다는 의사를 표명하자 나머지는 그녀가 알아서 다 했다. 그는 의자에 누워 그녀가 위에서 하는 대로 몸을 내맡겼을 뿐이었다. 한 번 난 길은 눈에 익은 법이었다. 그 후로 그는 거의 이틀에 한 번 꼴로 이발소를 출입하고 있었다.

김씨가 이발소로 내려가자 이양이 보이지 않았다. 그를 보자 홀에 앉아 있던 박양이 재빨리 커튼이 쳐 있는 곳을 가리켰다. 손님이 와서 이양이 일을 하고 있다는 뜻이었다. 전에도 종종 있던 일이었다. 그럴 때면 대개는 다시 마트로 올라갔다. 삼십 분이나 한 시간쯤 있으면 이발소에서 전화가 왔다. 손님이 갔으니 내려오라는 신호였다. 그날은 마트에 올라가고 싶지 않았다. TV를 보며 기다릴 참으로 의자에 앉았다. 박양이 의아한 표정으로 그를 돌아보며 말을 건넸다.

기다리는 동안에 제가 면도해 드릴까요?

얼굴 면도를 하겠냐는 의미였다. 얼굴 면도는 이발만 할 사람들이 커튼 밀실로 들어가지 않고 홀 안에서 하는 면도였다. 그 전에는 박양에게 면도도 하고 안마도 받은 적이 있었다. 그러나 이양과 그러저러한 사이가 되면서부터는 박양은 그를 마치 이양의 애인처럼 대했다. 그가 들어서면 무조건 이양에게 양보했다.

김씨는 괜찮다는 의미로 머리를 살짝 흔들고 입꼬리를 옆으로 올리면서 웃는 테를 냈다. 그리고 대기석 의자에 털썩 주저앉으며 TV 쪽으로 시선을 돌렸다. 그냥 TV나 보겠다는 신호였다. TV는 유선방송으로 주말에 하는 개그 프로가 재방송되고 있었다. 젊은 개그맨들이 유행어를 외치면 TV 속 청중들은 온몸을 흔들며 웃어 댔다. 박양도 훗훗훗 하고 소리를 죽이면서 웃고 있었다. 김씨는 태연하게 TV를 보는 척했지만 온 신경은 커튼 뒤 밀실로 향하고 있었다. 개그맨들이 몸을 흔들며 대사하는 목소리가 하나도 들리지 않았다. 그러니 조금도 웃기지 않았다. 그냥 웃는 표정만 짓고 있었다.

그때 커튼 너머에서 무슨 소리가 들리는 것 같았다. 그 소리는 TV 소리에 묻혀 들리지 않다가 신경을 모으니 TV 소리와 구분되어 들리기 시작했다. 처음에는 두런두런거리며 말하는 소리 같았다. 그러다 소리가 끊겼다. 조금 시간이 지나니 이제는 달그닥거리는 소리가 들렸다. 이양이 손님하고 대화를 하다가 안마를 시작하는 것 같았다. 김씨의 머릿속에 이양이 누군가의 몸에 올라 안마하는 모습이 그려졌다. 김씨는 기분이 야릇해지기 시작했다. 심사가 화가 나는 것 같기도 하고 서글픈 것 같기도 했다. 가슴 언저리가 서늘해지는 것 같기도 했다. 얼굴에 열이 나고 숨이 가빠지는 것 같았다. 밀실에서 다시 소리가 들렸다. 이번에는 나지막한 신음 소리 같았다. 김씨는 눈치가 보여 박양을 흘깃 바라보았다. 박양은 TV 화면에 빠져서 낄낄대고 있었다. 김씨는 온 신경이 커튼 뒤로 몰려가는 것 같았다. 자신의 머리 뒷골이 잘려서 커튼 뒤로 날아가는 상상마저 들었다. 김씨는 더 이상 참고 있을 수가 없었다. 자리를 박차고 입구로 걸어 나갔다. 박양이 깜짝 놀라 그를 바라봤다. 김씨는 이발소 계단을 뛰어 올라갔다. 거리는 휑하니 차만 몇 대 오가고 있었다. 마트 환기구에서는 아직도 담배 연기가 새어 나오고 있었다. 마트 안 사람들은 여전히 노름에 빠져 있을 것이다. 잿빛 구름이 다시 하늘을 채워가고 있었다. 낮이 짧아지고 있었다. 이제 오후도 끝나가고 있었다.

산새도 오리나무

오후 마지막 수업을 마치고 교무실에 들어오니 책상 위에 두고 간 핸드폰에서 문자가 왔다는 신호가 깜박거렸다. 핸드폰 화면을 열어 보니 '김영중 선배, 귀국 환영 모임, 오후 7시, 대학 앞 파우스트 레스토랑'이라고 적혀 있었다. 대학 시절 연극동아리 동료였던 박철기로부터 온 문자였다. 수정은 대학을 졸업한 후에는 학창 시절 활동했던 연극 동아리 선후배들과 거의 만나지 못했다. 학교 교사로 근무한 데다 결혼하고 아이까지 낳아 기르다 보니 틈을 내기가 쉽지 않았다. 동아리 선후배 소식은 일 년에 몇 번씩은 모임의 총무를 맡고 있다는 철기로부터 문자나 이메일을 받아 어느 정도는 알고 있었다. 선후배들을 만난 지가 오래되어 얼굴도 기억이 않을 것 같았는데, 문자를 보자 예전 선후배들의 모습이 삽시간에 뇌리를 스쳐갔다. 그리고 보니 수년 전, 김 선배가 외국으로 유학 간다고 하여 열리는 송별연에 나오라고 연락이 왔던 기억도 새삼스럽게 떠올랐다. 하지만 그때 무슨 이유였는지 송별연에 나가지 못하고 말았다.

김 선배는 보통 학생들과 다른 독특한 분위기를 지니고 있었다. 그 독특함이란 매력적이라거나 유쾌한 것은 아니었다. 그렇다고 불쾌하거나 음습한 것도 아니었다. 엉뚱했지만 순수했다고 할까, 옷차림으로 보자면 한복 바지에 양복 상의를 입고 다니는 꼴이라고 할 수 있는, 그러면서도 그런 옷차림에 대해서 전혀 개의치 않는 사람과도 같았다. 김 선배는 그런 기질 때문에 동아리 세미나라든지 그런 모임에서 주제와 빗나간 엉뚱한 문제를 제기하여 분위기를 망치기 일쑤였다. 그러나 순수함에서 오는 진지함과 열정 때문에 아무도 미워하지 않았다. 연극 연습을 마치고 뒤풀이 자리에서 막걸리를 한 잔씩 돌리면서 유행가를 부르는 자리에서 김 선배는 벨칸토 창법으로 외국 가곡을 불렀다. 노래가 좌석에 너무도 어울리지 않아 여기저기에서 키득거렸지만 김 선배는 지그시 눈을 내려 감고 당당하게 마지막 소절까지 불러서 기어이 좌중의 박수를 받곤 했다. 그것이 김 선배의 독특한 트레이드 마크였다.

수정은 김 선배가 졸업 후 신문사 기자로 몇 년인가 근무하다가 갑자기 사표를 내고 유학 갔다는 이야기만 귓결에 전해 들었다. 그녀는 불현듯 얼굴이 빨개진 채 목에 힘줄이 파랗게 서도록 진지하게 벨칸토 창법으로 외국 가곡을 부르던 김 선배가 보고 싶어졌다.

김 선배는 엉뚱한 면이 또 하나 있었다. 4학년 졸업 공연을 무대에 올리기 전까지 한 번도 배역을 맡지 않았다. 대본을 돌아가며 읽는 연습 시간에는 열심히 참석하다가도 배역을 결정할 때면 자청해서 배우가 아닌 무대감독이나 조명 담당이나 음향 담당 등 스텝을 맡기 일쑤였다. 연극부원들은 서로 중요한 배역을 맡기 위해서 물밑으로 눈치

작전을 벌이며 경쟁이 치열했지만 스텝은 서로 맡지 않으려고 했다. 따라서 김 선배처럼 스스로 자청해서 스텝을 맡겠다고 하면 모두들 기쁘게 받아들였던 것이다. 그러다 보니 김 선배는 4학년이 되도록 결국 한 번도 배역을 맡지 않았다.

김 선배는 시골 한학자였던 아버지부터 어릴 때부터 '사람은 마음속의 감정을 밖으로 내색하지 않아야 한다.'고 교육을 받았다. 아버지께서는 기쁘건 슬프건 마음의 동요가 없어야 훌륭한 사람이라고 강조했다. 그는 대학생이 되었을 때쯤 감정 표현이 풍부한 다른 친구들과는 전혀 다른 자신을 발견하게 되었다. 슬픔이나 기쁨을 내색하지 않고 심지어는 화가 나도 화를 내지 못하는, 그래서 너무나도 감정 표현에 인색한 애늙은이가 된 자신을 보고 만 것이다. 김 선배는 감정 표현이 무딘 자신의 성격을 극복하기 위하여 연극반을 선택하였지만 자신이 없어 졸업반이 되도록 무대에 서지 못했다.

그러나 그해의 졸업 공연에서 김 선배는 배우로 무대에 서게 되었다. 배역을 결정하던 회의에서 김 선배가 그때까지 배우로 무대에 한 번도 오르지 않았다는 것을 누군가가 기억해 냈던 것이다. 모두들 김 선배에게 배역 선택을 양보하였다. 이번만은 김 선배도 피할 수가 없었다. 김 선배는 대본을 읽을 때부터 마음에 두었던 배역을 선택했다. 김 선배가 선택한 배역은 스포트라이트를 받는 주연은 아니었지만 극적인 심리묘사를 표현해야 하는 까다로운 역이었다. 공연은 성황리에 마무리가 되었고 김 선배도 배역을 훌륭하게 소화해 내어 관객들로부터 많은 박수를 받았다. 쫑파티 때도 김 선배는 공연을 보러 온 졸업생 선배들로부터 잘했다는 칭찬을 들었다. 수정은 당시 어색하게 눈을 내리뜨며 환하게 웃지도 못하고 겸연쩍은 미소를 짓던 김 선배의 표정이 생생하게 떠올랐다.

주머니가 얇은 대학생들이 주된 고객이어서 그런지 말이 레스토랑이지 식당은 중앙에 있는 피아노와 자그마한 무대를 제외하고는, 대학가에 흔한 여느 생맥줏집과 별 차이가 없었다. 식당 안에는 앞머리를 노랗게 물들이고 커다란 귀걸이를 한 여학생들과 신발 아래로 질질 끌려 단이 헤진 청바지를 입은 남학생들이 삼삼오오 모여서 맥주를 마시고 있었다. 야트막한 무대와 어울리지 않게 화려함을 뽐내듯 당당하게 놓여 있는 하얀 피아노 앞에는 머리를 길러 뒤에 꽁지처럼 묶은 젊은 남자가 앉아 노래를 부르고 있었다. 수정은 하도 오랜만에 만나는 사람들이라 어색할까 보아 일부러 십여 분쯤 늦도록 시간을 맞추어 안으로 들어섰다. 캐주얼 차림의 젊은 청년들 사이에 넥타이와 정장차림의 남자들이 앉아 있는 좌석은 금방 눈에 띄었다. 둥그런 좌석에 오늘의 주빈인 김 선배, 동아리 회장이었던 진수, 동급생이었던 철기, 영우 그렇게 넷이 모여 있었다. 감색의 양복에 넥타이를 단정하게 맨 철기가 먼저 손을 번쩍 들어 신호를 보냈다. 벌써 맥주가 한 순배씩은 돌고 있었다.

"김 선배, 언제 귀국했나요. 정말 오랜만이네요." 수정이 먼저 김 선배에게 손을 내밀었다.

"정말, 몇 년 만이야. 자, 앉아." 김 선배도 수정의 손을 잡고 흔들었다.

"그래, 그렇게 연락을 했어도 선배가 외국 나갔다 왔다니까 겨우 모습을 나타내는 거야. 수정 씨 얼굴 한번 보기 힘드네." 시비조로 말을 걸었지만 수정이를 바라보는 철기는 유쾌한 표정이었다.

"아이, 미안해요. 만나고 싶은 마음은 굴뚝같지만 직장에 다니지, 남편 수발하지, 아이들 키워야지, 시간을 낼 수가 있어야지요." 수정은 사과라도 하는 듯 누구라고 할 것 없이 시선을 비잉 돌면서 좌중을 훑었다.

"그러면 올 사람은 다 왔나?" 진수가 연락을 맡았다 싶은 철기를 바라보고 물었다.

"우리 신수정 선생도 오셨고, 지방에 있는 사람들하고 선약이 있어서 참석하지 못할 사람 빼고는 다 온 셈이죠. 참 오랜만에 경화 씨도 연락이 되었어요. 경화 씨가 다시 그림을 그리더라고요. 작년에는 전시회도 했답니다. 좀 늦더라도 꼭 참석하겠다고 했는데…."

철기가 경화를 거명할 때 흘깃 진수를 바라본 것처럼 수정은 느껴졌다. 수정은 공연스레 뜨악한 표정으로 좌중을 훑어보았지만 모두들 천연덕스러운 얼굴들이었다. 궁상맞게도 나 혼자 케케묵은 옛날 일을 기억하고 있다고 생각한 수정은 창밖으로 눈길을 돌렸다. 마침 주문한 식사가 나오기 전에 경화가 들어섰다. 빨간 원피스의 경화는 청순했던 얼굴이 그대로 남아 있어 멀리서 보면 마치 대학생 같은 모습이었다. 오랜만에 경화를 보는 것이 반가웠지만 수정은 습관처럼 또다시 진수에게 눈길이 갔다. 진수는 경화가 자리에 앉기 전 한 사람씩 둘러보며 인사를 나눌 때 자기 차례에 어색한 미소를 띠며 눈썹을 한 차례 실룩거린 것 외에는 아무런 내색도 하지 않았다.

식사가 들어오고 또다시 술이 한 순배쯤 돌았을 때 피아노를 치면서 노래를 부르던 젊은 남자는 어느 틈에 사라지고 무대는 전기 기타를 든 짧은 스커트의 여자로 바뀌어져 있었다. 음악 소리는 한층 높아지고 실내조명도 처음보다 더 어두워졌다. 이제부터 본격적인 젊은이들을 위한 시간인 듯 젊은 여자 가수는 수정이로서는 무슨 말인지 알아듣기도 힘든 빠른 리듬의 랩 음악을 큰 소리로 불러대기 시작했다. 김치를 더 달라고 하여 맛있게 먹던 김 선배는 중국에서 음식을 먹다 실수한 일화를 큰 소리로 떠들어 대다가 갑자기 볼륨이 높아진 음악 소리에 묻혀 대화 내용이 잘 들리지 않게 되자 앞의 무대를 바라보고 인상을 찌푸렸다.

시곗바늘은 어느새 아홉시를 향해 달리고 있었다. 수정은 화장실을 가는 척 조용히 일어나서 입구 쪽으로 가서 집에 전화를 걸었다. 역시 남편은 아직 귀가 전이었다. 수정이 자리에 앉자 시끄러우니 자리를 옮기자는 데 의견이 모아지고 있었다. 진수의 건배 제안에 모두들 부랴부랴 남은 술을 잔에 채워 부딪쳤다. 수정은 학창 시절에는 가끔씩 라면 국물에 안주 삼아 막걸리나 소주를 마셔 댄 적이 있었지만 교사가 된 후로는 거의 술을 입에 대지 않았다. 오랜만에 마시는 술이어서 그런지 맥주 특유의 쓰디쓴 맛 때문에 혀가 얼얼해져 왔다. 하지만 남자들 얼굴에 취기가 하나도 없는 것이 아직은 한참 초저녁이었다.

"진수 형, 요즘 공연에 손님 좀 들어와요?"

돈을 약간씩 걷어서 계산을 마친 철기는 계단을 내려오면서 대학 졸업 후 여태까지 극단을 운영하고 있는 진수에게 물었다. 진수는 적당히 살이 올라 보기 좋던 얼굴은 다 어디로 가고 살이 빠져 광대뼈가 드러나 보였다. 그동안 우편으로 공연 팸플릿과 초대권을 여러 차례 보내와서 한 번쯤 가 보려고 했지만 바쁘다는 핑계로 철기는 번번이 참석하지 못했다. 앞에 가던 진수가 대답 대신 뒤를 돌아보고는 어색하게 입을 벌리고 웃었다. 어둠 속에 진수의 가지런한 이만 하얗게 보였다. 진수는 좌석에 경화가 나타난 이후 부쩍 말수가 적어졌다. 그저 '응응' 하거나 어색한 미소로 대신하기 시작한 것이 꽤나 여러 차례였다.

"좀 에로틱한 주제거나 여자들 옷 벗기는 연극을 해야 사람들 오는 것 아닌가요!"

철기의 뒤를 따라오던 영우가 심드렁한 말투로 진수를 대신하여 끼어들었다. 그때서야 진수는 '그나마 그런 것도 이제는 안 돼' 라고 짧게 잘라 말했다. 순간 철기는 진수의 얼굴에서 옛날 무대에서 자신 만만하게 연기 지도를 하던 표정을 다시 보는 듯했다. 그러나 그것도 잠시일 뿐 진수의 표정은 다시 굳어졌다. 철기는 일순간 어려운 극단 운영 때문이겠지만 저러다 진수의 심성까지 변하고 마는 것은 아닐까 라는 불길한 예감이 스쳐갔다.

학창 시절에 막걸리 집이거나 고작해야 빈대떡 안주에 소줏집이 대부분이던 거리가 밝은 조명에 안이 훤히 내다보이는 통유리의 당구장이나 커피숍 혹은 술집으로 바뀌어 있었다. 길가의 보도에는 미처 쓸어내지 못한 은행나무에서 떨어진 노란 잎들이 스산한 바람에 떨고 있었다. 보도는 젊은 남녀의 무리들이 물결을 지어 흐르고 있다.

"날마다 청소차로 은행잎을 쓸어 내야겠네!" 새롭다는 듯이 김 선배가 아직 꽤 잎이 달려 있는 은행나무를 가리키며 혼자 말하듯이 읊조렸다.

"은행잎을 쓸어 내지 말고 떨어진 상태 그대로 두면 안 될까, 그러면 삭막한 도시에 얼마나 운치가 있겠어!" 경화가 동의를 구하듯 모두를 둘러보았다.

"그대로 두면 아마 차들이 미끄러져서 교통사고가 많이 날 거야." 영우가 어림없다는 듯이 고개를 흔들었다.

"에이, 무드가 없기는…." 경화가 영우의 어깨를 툭하니 쥐어박았다.

보도를 가득 채우며 흘러가는 사람들의 물결이 목적지를 찾지 못하고 서성거리는 일행을 이리저리 밀치어 건물 한쪽으로 몰아세웠다.

"여기가 서울로 따지면 신촌이나 뭐 그런 곳처럼 변해 가나 봐!" 수정이 새삼스럽게 놀란 듯 탄성을 지었다.

"나도 신문에서 봤지만 이렇게까지 변할 줄은 상상도 못 했어" 철기도 맞장구를 쳤다.

"젊은 청춘을 부러워하지만 말고. 이렇게 모이기도 힘드니 어디 가서 한잔씩 더 하지. 이번에는 제가 술을 사지요. 시끄러운 곳은 가지 말고… 예전에 우리가 자주 다녔던 수정이 자취방 같은 곳은 없을까…?" 김 선배는 수정을 돌아보았다.

그 시절엔 연극 공연 후 회식하고 나서 갈 데가 없으면 다들 수정이 집으로 우르르 몰려갔었다. 동생하고 자취를 하던 수정이 자취 집에 널찍하게 큰방이 있어서 술에 취해 여기저기 곯아떨어지더라도 대여섯 명쯤은 넉넉히 누울 수가 있었다.

"아니 형님은 지금이 옛날과 같은 줄 알아요. 수정 씨도 이제 학교 선생님에다 자녀를 둘이나 둔 어머니란 말씀입니다. 오랜만에 진수 형 극단 사무실에 가서 입가심으로 한 잔씩만 더 하고 헤어집시다." 철기는 진수의 얼굴을 쳐다보았다. 진수는 가타부타 말이 없었다. 철기는 진즉부터 진수의 극단 사무실을 한번 구경해 보고 싶었다.

극단 사무실이 있는 건물은 골목으로 한 블록을 더 가야 했다. 그 것도 엘리베이터가 없는 건물의 맨 꼭대기 4층이었다. 계단 벽면부터 연극 벽보가 하나둘 보이기 시작했다. 길고 좁은 4층 계단 끝에는 '연습 중 정숙'이라는 쪽지가 붙어 있었다. 진수가 열쇠를 따서 철제문을 열고 벽에 붙은 스위치를 올리니 제일 먼저 낡은 소파와 대여섯 개의 책상이 눈에 들어왔다. 벽 한쪽에 나무로 짠 책장 가득히 대본집들이 꽂혀 있고 다른 쪽은 의상과 소품이 널브러져 있었다. 진수는 재떨이며 책들로 어질러진 탁자를 재빨리 치웠다. 김 선배가 슈퍼에서 사온 비닐봉지에서 맥주와 마른안주를 하나씩 꺼내어 수북이 쌓아 놓았다. 수정이 유리컵을 찾아서 탁자에 올려놓았다. 모두들 소파 의자 하나씩을 골라서 자리를 잡았다. 김 선배가 '자, 만년 무대감독 김영중이가 술을 한 잔씩 따르오니 모두들 잔을 드시옵소서.'라고 마치 연극대사를 외우듯이 능청맞게 말하고서 돌려 가며 술을 가득 따랐다.

"짠, 기대하시라. 이거 맥주가 배만 부르고 싱거워서 제가 양주를 한 병 사가지고 왔습니다. 옛날 소주에다 맥주를 글라스에 한잔씩 가득 따라서 마셨던 기분 좀 내봅시다." 철기가 안쪽 호주머니에서 조그마한 국산 양주 병을 꺼내 뚜껑을 따기 시작했다.

"야, 그러다 너무 취하는 것 아니야" 걱정스런 표정으로 진수가 손짓을 하였다.

"그래, 철기야 잘했다. 딱 그것 한 병만 하자. 말하자면 이것이 서양식 칵테일이고 국산으로 따지면 폭탄주 아니겠어. 술이라는 것이 취하자고 마시는 것이니까. 여자들은 그냥 맥주만 마시고." 맥주가 성이 안 찼는지 김 선배가 철기 편을 들어 먼저 앞에 놓인 잔에 양주를 흘려 넣었다.

"어휴, 이 술꾼들 제 버릇 어디 가겠어. 레스토랑에서 만난다고 하기에 이제 나이가 들어 사람들이 돼 가는가 싶더니 독주를 마셔야 직성이 풀리지." 옆에서 말도 없이 앉아 있던 수정이도 기어이 한마디 거들었다.

술이 꽤 독한지 진수는 얼굴을 찌푸렸다. 술이 약한 영우는 술잔을 들고 슬며시 자리에서 일어나 책장 앞으로 다가갔다. 책장에는 하얗게 표지를 단 대본들이 가득 차 있었다. 영우는 무심결에 손가락으로 표지들만 건성으로 훑어 나갔다. 세일즈맨의 죽음, 고도를 기다리며, 정의의 사람들, 웨스트사이드 스토리, 아벨만의 재판, 참, 아벨만의 재판이라니….

"야. 이거 그때 우리가 공연했던 대본이잖아. 진수 형이 아벨만 역을 맡았고, 경화가 루시아, 철기가 그 교활한 연락관이었고, 그때 내가 면장인가 읍장인가를 맡았었지…" 영우는 감회가 새로웠다.

"어디, 나도 좀 보자. 야! 정말이네." 철기가 대본을 왈칵 뺏어 들었다.

"내가 그때까지 한 번도 무대에 서 보질 않았잖아. 그 대본 읽는 연습할 때 정말 아벨만 역은 꼭 한 번 해 보고 싶었어. 그 아벨만이 연극 막바지쯤 재판정에 나타나 절규하던 장면 있잖아. 어디 대본 좀 보자. 지금이라도 한번 읽어 보게." 김 선배도 옆에서 대본을 뒤적였다.

"자, 싸우지 말고 여기 몇 권 더 있어" 진수가 책장에서 대본 몇 권을 더 꺼내더니 탁자에 툭하니 던졌다.

김 선배가 갑자기 일어서더니 허공을 향하여 두 손을 벌리고서 아벨만의 대사를 읊었다.

"막상 권총을 꺼내면 제일 먼저 도망갈 사람이 누구요? 내가 요구하는 것은 떳떳한 재판이요. 자 재판장은 누구요? 누구든 나서서 선고를 내려! 우리가 무슨 죄가 있다고 당하기만 해!"

"하하하, 그때의 통쾌함이란… 그 부분에서 관객들이 마음속으로 박수를 많이 쳤을 거야." 철기가 살짝 끼어들었다.

"영우, 네가 그때 읍장을 맡았었지. 자, 이 부분 한번 해 봐." 다시 김 선배가 대본을 영우에게 펼쳐 보였다.

"아벨만, 그것은 오해야. 우리가 누구인가. 우리는 너의 이웃이야. 게다가 네 부모들과 어릴 때부터 함께 자라서 동고동락을 함께해 온 친구들이고. 그런데 우리가 너를 해치려고 했겠나. 우리의 입장을 생각해 봐." 영우는 마지못해 낮은 목소리로 대본을 읽어 내렸다.

"영우야, 그렇게 하면 실감이 안 나지. 아주 비굴한 느낌이 들도록 해야지, 동작도 취해 보고." 김 선배는 다시 해 보라는 듯이 영우의 어깨를 떠밀었다. 영우는 김 선배의 손길을 피하려다가 철기가 앉았던 소파로 넘어졌다. 영우의 몸이 쓰러져 오자 철기는 피해서 일어서려다가 엉겁결에 영우를 껴안듯이 붙들고 함께 쓰러졌다. 영우의 눈길이 철기의 얼굴로 향했다. 영우는 벌떡 일어나며 철기의 얼굴을 가리켰다.

"참 철기가 그때 얼굴에 화상을 입었었지, 하마터면 이 잘생긴 미남 얼굴 다시는 못 봤을 뻔했어." 영우는 철기 얼굴을 가리키며 웃음을 터뜨렸다.

"그것은 담배 때문이었어." 철기는 겸연쩍은 듯 머리를 흔들며 술잔을 들었다.

"그것 정말이야? 난 새까맣게 몰랐네." 김 선배는 눈을 휘둥그레 뜨고서 철기를 바라봤다.

"그때 철기가 얼굴에 수염이 잔뜩 난 연락관 역할을 맡았잖아요. 분장실에서 수염을 붙이고 담배를 피우다가 수염에 불이 옮겨 붙어 버렸지요. 그때 내가 분장을 해 주고 있었는데, 결국 분장을 두 번 했다니까" 영우는 그때 일이 차츰 선명하게 떠올랐다.

"그래서 어떻게 껐어요. 소방서 차가 왔어요?" 경화는 짐짓 웃지도 않고 물었다.

"소방서 차! 그 불을 끄느라고 철기 손바닥에 불이 났지. 다시 수염을 붙이려고 보니까 철기 얼굴이 벌겋게 익었더라고…" 영우는 좌중을 돌아보며 능청을 떨었다.

"야 그거 2도 화상쯤 입었겠다. 어디 김철기 얼굴 좀 보자. 난 그때 무대 뒤에서 대사 외우느라 분장실에서 그 난리가 난 줄도 몰랐네. 내 깐에는 처음 출연이라…" 억지로 웃음을 참는 김 선배의 얼굴이 술기운이 올라 불그스레하게 변했다. 모두들 철기의 얼굴을 보면서 웃음을 터뜨렸다.

오징어나 마른안주가 바닥이 나자 진수가 허름한 냉장고 문을 열더니 사과 몇 알을 꺼내 왔다. 수정이 과도를 찾아 들고 껍질을 깎았다.

경화는 맥주 글라스를 들어 홀짝거리면서 남들이 알아차리지 못하도록 왼쪽 손목의 시계를 힐긋 바라보았다. 시계는 어느덧 10시를 막 넘어가고 있었다. 친구들을 만나서 약간 늦어지겠다고 전화를 했을 때 알았다고 짤막하게 대답하던 남편의 목소리는 감정이 조금도 배어 있지 않았다. 가끔 전화를 받지 않아 병원으로 전화를 걸었을 때 남편에게서 들었던 건조한 말투였다. 경화는 감정이 전혀 섞이지 않은 무미하기 그지없는 목소리의 '여보세요.'라는 남편 음성을 들노라면 순간적으로 소름이 돋았다. 평소에 아이들과 경화에게 그렇게 잘도 대해 주던 남편의 자상한 얼굴 이면에 저렇게 표정 없는 또 다른 얼굴이 숨어 있다는 것이 도무지 실감나지 않았다. 결혼기념일이면 어김없이 꽃다발과 편지를 안겨 줬던 남편이 남처럼 느껴진 것은 지난 전시회부터였다.

둘째 아이를 낳고 나서 경화는 심한 우울증에 시달렸다. 그림이나 다시 그려 볼까 하고 살며시 운을 뗐을 때 남편은 반색을 하며 미술대학원 신입생 모집 요강을 구해 주었다. 애를 낳으면서 생긴 경화의 우울증은 그림을 그리면서부터 차츰 나아지기 시작했다. 경화는 남편이나 아이들의 방해 없이 그림을 그리는 일에 열중하는 것이 좋았다. 하지만 경화가 그림 그리기에 깊숙이 빠져들어 작업실에 틀어박혀 있는 시간이 많아지자 남편은 싫은 내색을 하기 시작했다. 시간이 지나자 남편의 냉담함은 경화가 따로 시내 화랑에서 전시회를 열겠다고 선언하듯이 공표하자 최고조에 달했다. '나는 당신이 취미로 그림 그리기를 바랐어. 나에게는 화가보다 마누라가 필요해. 전시회까지 열려면 당신 맘대로 해!'라며 전시회 경비는 물론이고 몇 달 동안은 생활비를 한 푼도 주지 않았다. 경화는 경제적인 이해관계를 가지고 무기처럼 휘두르는 남편이 낯설고 두렵기조차 하였다. 경화는 자신의 저축을 깨서 기어이 전시회를 치렀다. 물론 남편은 전시회가 끝나는 날까지 얼굴 한 번 비추질 않았다.

경화가 진수를 이성으로 생각하기 시작한 것은 그 공연이 계기가 되었다. 경화가 아벨만의 부인인 루시아 역을 맡았던 것은 경화가 연기에 서툴렀기 때문이었다. 내심 진수에게 호감을 갖고 있었던 사람은 수정이었다. 경화도 그것은 알고 있었다. 수정이는 연극 배우를 타고난 듯 연기를 잘했다. 진수의 상대역이라는 이유 때문에 수정이가 루시아 역을 욕심내고 있었지만 연기력을 인정받고 있었던 수정이에겐 대사가 많은 미망인 역이 주어졌다. 대사가 적고 연기가 수월했던 루시아 역이 경화에게 주어진 것이다. 경화는 연기가 서툴러 연습 도중 연출의 호된 꾸중을 듣자 여러 번 울기조차 하였다. 진수는 연기가 서툰 경화를 차분히 끌어갔다. 갈채 속에 연극 공연을 마치고 쫑파티가 끝나 집에 돌아갈 때 술에 잔뜩 취한 경화는 처음으로 진수에게 바래다주라고 했다. 그때부터 둘은 사귀는 사이가 되었다.

그때 진수는 실업계 고등학교를 졸업하고 직업군인으로 지원해 입대한 동생과 학교를 포기하고 공장에 다녀야 했던 여동생, 그리고 시골에서 어렵게 농사를 짓고 사는 홀어머니에 대한 부담감으로 항시 고민을 하고 있었다. 그러면서도 자존심 때문에 남에게는 추호도 내색을 하지 않았다. 경화와 사귀는 동안 내내 경화가 부잣집 외동딸이라는 것 때문에 심기를 불편해 하였다.

집에서 결혼을 다그치던 어느 날, 그날 진수가 약속을 어기지 않았다면 경화는 부모님이 아무리 반대를 하더라도 결혼 승낙을 받고야 말리라 작정했었다. 그러나 진수는 경화 부모님을 만나 결심을 밝히기로 한 그날 기어이 나타나지 않았다. 진수는 처음 경화 집에 들어서서 이층 양옥의 대리석 계단을 밟을 때부터 얼굴 표정이 굳어지면서 무척이나 불편해하였다. 더구나 경화 부모님이 둘의 결혼을 반대한다는 이야기를 들은 후부터는 이런저런 핑계를 대며 경화와의 만남을 기피하였다. 경화는 진수의 그런 우유부단함이 싫었다. 그 후 경화는 아버지가 권하는 사람과 결혼을 하고 말았다. 남편은 경화보다 여섯 살 위인 내과 의사였다. 이미 그때 수습의 과정을 마치고 개업 준비를 하고 있었다. 남편은 나이가 많은 만큼 자상하여 진수와의 아픈 기억을 지워 낼 수 있었다.

취기가 오른 김 선배와 철기는 얼굴이 빨갛게 변한 반면 술이 약한 진수는 오히려 안색이 새하얗게 변했다. 어느새 영우는 소파에 기대어 졸고 있었다. 철기는 김 선배에게 노래하라고 성화를 부렸다. 김 선배는 노래 잘하는 수정이가 먼저 하고 나면 부르겠다고 화살을 수정이에게 돌렸다. 갑자기 지목을 당한 수정은 당황한 얼굴로 얼떨결에 일어섰다. 철기는 좌중을 둘러보며 박수 치라는 표시로 손을 흔들었다. 경화는 박수를, 진수와 김 선배는 손으로 탁자를 때렸다. 수정은 잠시 사이를 두더니 얌전히 손을 모아 잡더니 노래를 시작하였다.

산새도 오리나무, 위에서 운다
산새는 왜 우노, 시메 산골
영 너머 가려고, 그래서 울지
눈은 내리네, 와서 덮이네
오늘도 하루길 칠팔십리
돌아서서 육십리 가기로 했소

　잠시 적막이 흘렀다. 경화도 정말 오랜만에 들었던 노래였다. 수정이가 저 노래로 얼마나 인기가 있었던가. 약속이라도 한 듯이 박수가 터져 나왔다. 소파에서 졸던 영우가 박수 소리에 놀라 머리를 들고 두리번거리다가 이번엔 아예 옆으로 비스듬히 누워 버렸다. 모두들 영우를 바라보고 웃었다. 진수가 어디선가 얇은 담요를 꺼내어 영우의 어깨를 덮었다. 철기가 이번엔 차례가 됐다는 듯 김 선배를 바라보았다. 김 선배는 계면쩍게 머리를 긁으며 일어났다. 김 선배는 흠흠하니 목을 가다듬더니 아니나 다를까 이탈리아 가곡을 부르기 시작했다.

무서운 불을 뿜는 저기 저 산에
올라가자 올라가자
그 곳은 지옥 속에 솟아 있는 곳
무서워라 무서워라
산으로 올라가는 구름타고
푸니쿨리 푸니쿨라
푸니쿨리 푸니쿨라

....

　그 다음 대목은 열차가 잔뜩 힘을 주어 산봉우리로 올라가는 대목이었다. 고음을 내려고 잔뜩 쳐든 김영중 선배의 목에 힘줄이 선명하게 부풀어 올랐다.

그 순간 책상 위의 전화가 울렸다. 이제 처음 울리기 시작했는지…
어쩌면 전화벨이 아까부터 울렸는데 노랫소리 때문에 못 들었는지 몰
랐다. 진수가 갑자기 튕겨지듯 일어나 수화기를 들었다. 진수는 수화
기에 대고 무어라고 말하다가 잠깐 뒤를 돌아보고는 외면을 하더니
소리를 낮추었다. '…응, 응 밥 먹었어? 오빠는, 응. 알았어. 아빠 곧
들어가니까 할머니랑 같이 자고 있어. 그래 …' 라고 하더니 천천히 수
화기를 내려놓았다. 진수의 낮은 음성이 경화의 귀를 파고 들어왔다.
김 선배의 노래는 대강 그쯤에서 끝이 났다. 술이 약한 영우는 소파
구석에 구겨지듯 비스듬히 쓰러져 있었다.

'자, 오늘은 이만 갑시다.'라며 자리에서 일어서는 철기의 목소리가
경화에겐 고맙게만 느껴졌다. 술깨나 먹었지만 아직 몸가짐이 멀쩡한
철기가 어깨를 몇 번 흔들자 영우는 천천히 일어나더니 추운지 어깨
를 감싸 안으며 비틀거렸다. 철기가 영우의 양복 깃을 세워주었다. 빈
병이며 술잔이랑 한쪽으로 마저 치우려는 김 선배에게 그대로 두어라
는 듯이 손짓을 휘두른 진수는 나가자는 듯이 출입문을 활짝 열어젖
혔다. 갑자기 찬 공기가 안으로 들어왔다. 수정이 낮게 기침을 쿨럭거
렸다. 철기가 영우를 부축하여 계단을 내려가는 발자국 소리가 유난
히 크게 들렸다. 복도 유리창 너머로 교회를 표시하는 아크릴 형광 십
자가가 여기저기 분홍색 빛을 발하고 있다. 교회가 저렇게 많을 줄이
야, 경화는 새삼스럽게 놀라웠다.

제일 먼저 온 택시에 영우를 태웠다. 철기가 운전기사에게 몇 번이
고 당부를 하고서야 차를 떠나보냈다. 영우는 유리창을 열고 걱정 마
라는 듯이 사래질을 하였다. 다음 택시는 수정이가 탔다. 내색은 않

앗지만 늦은 시간 때문에 속을 태웠는지 유리창으로 얼굴을 향하고서 손만 몇 번 흔들고 말았다. 진수와 김 선배는 집이 가까우니 걸어서 가면 된다고 먼저들 가라고 계속 서 있었다.

"경화 씨, 아직도 화성동이지. 나랑 택시 합승해, 경화씨 내려 주고 조금 더 가면 우리 집이야." 철기가 재빨리 손을 들어 택시를 잡으며 경화를 돌아보았다.

자기가 나중에 내린다며 먼저 좌석에 오른 철기를 따라 경화는 허리를 굽혀 들어갔다. 창밖에는 남자들만 둘이 남아서 고개를 숙여 차 안을 들여다보며 손을 흔들고 있다. 역광으로 그림자가 어린 불빛에 얼굴이 제대로 보이지도 않는다.

"철기 씨! 아까 진수 선배 전화 어디서 왔던 거예요?" 차가 얼마쯤 달려가자 경화는 물었다.

"아직 몰랐어! 진수 선배 이혼했잖아. 아이들 둘만 두고 여자가 떠나 버렸어. 하긴, 극단 운영해가지고 생활이 되겠어!" 철기는 경화를 빤히 쳐다보았다.

"그러면 아이들은 누가 키우죠?" 경화는 다시 물었다.

"시골에서 어머니가 와 계시나 봐."

차가 광장 빨간 신호등에 걸려 멈춰 있다. 경화는 갑자기 머릿속이 텅 빈 것처럼 아무 생각도 나지 않았다. 유행가를 메들리로 엮은 모창 가수의 매끄러운 가락이 좌석 뒤의 스피커에서 흘러나왔다. 신호가 바뀌자 졸린 눈으로 앞만 바라보고 있던 운전기사는 기어를 재빨리 바꾸어 쏜살같이 앞으로 나아간다. 야밤의 도시는 한적하다. 아직 문을 닫지 않아 불이 켜진 상점의 불빛들이 쏜살같이 스쳐 지나간다. 아

직 한참이지 싶었는데 차는 어느새 경화가 내려야 할 곳이다. 차가 막
히지 않는 밤이면 도시의 거리는 금방이다. 이가 빠진 듯 듬성듬성 불
이 켜진 고층 아파트들이 캄캄한 하늘을 배경으로 불쑥불쑥 솟아 있
다. 차는 아파트 입구에 경화를 내려놓고 다시 어둠 속으로 미끄러지
듯이 사라진다. 철기는 조금 더 가야 한다. 자정이 다 된 시간에 술 냄
새까지 풍기며 들어서는 경화를 보고 남편은 뭐라고 할까. 남편은 거
실에서 들짐승처럼 불도 켜지 않고 소파에 앉아 TV를 노려보고 있을
것이다.

아파트 벽에 붙어 있는 포장마차의 황토색 차일이 바람에 흩날린
다. 텅 빈 의자를 지키며 홀로 앉아 있던 검정 잠바의 아저씨는 추운
지 화덕에 손을 비비고 있다. 입구부터 불 꺼진 차들이 길게 꼬리에
물고 웅크리고 있다. 야밤의 귀가에 놀랐는지 누군가 싶어 지켜보던
관리실 아저씨가 가까이 다가가자 그제야 알아보고 재빨리 목례를 한
다. 경화는 아저씨의 시선을 피하여 살짝 고개를 숙이며 재빨리 입구
에 들어섰다. 엘리베이터는 8층에 머물러 있다. 경화는 재빨리 스위치
에 손을 갖다 댔다. 그녀는 스위치에 연푸른 불이 켜지면서 스르륵하
니 엘리베이터가 낙하하는 나지막하고 둔중한 기계음을 귓결에 들으
며 옅은 분홍색 불빛이 8. 7. 6. 5… 아래로 하강하는 속도가 너무 늦
다고 느껴졌다.

영중은 바람이 으슬으슬하니 옷깃으로 파고들자 차츰 취기가 가
시기 시작한다고 느꼈다. 어디 포장마차에 가서 한잔 더 할까 생각하
다가 진수가 전화에 대고 소리를 낮추어 누군가에게 속삭이던 모습을
떠올라 한잔 더 하자는 말이 혀끝을 감고 나오질 않았다. 진수는 택시

가 떠나 버린 곳에 머물러 있던 시선을 거두고 영중을 바라보았다.

"어때, 앞으로 국내에서 지낼 계획은 세웠니?"

"글쎄, 몇 군데 대학에 강의 신청서를 내보려는 생각은 갖고 있지만 여의치가 않을 것 같아. 봐서 다시 중국으로 다시 들어가 버리든지…." 영중은 며칠 전 이력서를 가지고 만났던 지방 사립대학 학장이 대학 운영의 어려움을 토로하던 광경을 떠올렸다.

"나는 자네가 경화하고 결혼한 줄 알았더니 …." 영중은 말을 꺼내 놓고는 아차 싶었다.

"이 사람이, 쓸데없는 소리는…" 진수는 얼굴을 돌려 버렸다.

어느새 갈림길이었다.

"그럼, 잘 가." 진수가 손을 내밀었다.

"자네도…, 내일이라도 사무실로 전화할게." 영중은 괜히 콧등이 저려 왔다.

진수는 돌아서서 잰 발걸음으로 멀어져갔다. 멀리서 보니 진수의 등이 동그마니 처진 것처럼 느껴졌다. 영중은 한참 동안이나 그 자리에 서 있다가 진수가 어둠 속에 가물가물하니 보이지 않자 집 방향의 골목으로 들어섰다. 집이 가까워 오자 중국에서 돌아오자마자 벼르고 있었던 듯 여태 결혼하지 않는 이유가 무엇이냐고 따져 묻던 노인네의 카랑카랑한 음성이 떠올랐다. 아직도 자지 않고 있을 두 노인네를 피해 어떻게 소리 없이 집에 들어갈까 생각하고는 손을 넣어 바지춤의 현관 열쇠를 만지작거렸다. 중국으로 가기 전 손아귀에 잡혔던 은행나무가 제법 실해져서 서너 뼘은 족히 될 듯싶다. 영중은 갑자기 요의가 느껴져서 허리춤을 까 내리고 나무 그늘을 향해 소변을 본다. 행인이 하나도 없는 길은 호젓하다. 따뜻한 물이 몸에서 빠져나가자 저 뱃속 깊은 곳에서 혀끝으로 무엇인가 올라왔다.

산새도 오리나무
위에서 운다.
산새도 오리나무
위에서 운다.

비
빔
밥

후배가 만나자는 곳을 찾으려고 한참을 헤매야 했다. 그곳은 도심 가운데에 있으면서 묘하게도 변두리의 귀빠진 곳에서나 볼 수 있는 허름한 공터였다. 앞쪽 대로변에는 카센터와 식당과 연립주택이 연이어 붙어 있고 뒤편에 제방이 둑처럼 펼쳐져 있는, 그 사이에 끼어 있는 삼사백 평 남짓한 빈 땅이었다. 길쭉한 삼각형 모양의 꼭짓점 위치에 붙어 있는 공터의 입구는 대로에서 꺾어져 주택가로 들어가는 골목길 중간쯤에서 시작되었다. 처음 찾아가는 사람들은 대로변만 살피다가 입구를 못 찾고 지나치기 십상이었다. 입구에서 안쪽으로 갈수록 공터는 부챗살처럼 퍼지면서 건너편 건물과 맞닿은 안쪽 제법 넓은 곳에는 허름한 고물상이 자리 잡고 있었다. 고물상에는 폐지와 고철이 정리되지 않은 채 잔뜩 쌓여 있었다. 공터의 입구부터 고물상 앞까지 차들이 여러 대 주차하고 있었는데 따로 관리하는 사람이 없기 때문에 그곳을 아는 사람들만이 애용하는 무료 주차장인 셈이었다.

　　후배는 그곳 공터에 탑차 한 대 놓고 가짜 휘발유 장사를 하고 있었다. 휘발유 값이 올라 가짜 휘발유 장사도 꽤 될 듯싶었다. 후배는 가짜 휘발유를 '비빔밥'이라고 불렀다.

형님, 요즘 같은 경기에는 비빔밥 장사도 괜찮아요. 형님처럼 발 넓은 사람한테는 딱 맞는 사업 아이템이지요. 이것이 가게 세를 내야 하나, 세금을 내나, 그저 저기 써금써금한 중고 탑차 하나만 장만하고 물건 살 돈만 있으면 할 수 있는 사업이니까, 형님한테 인수하라고 하는 것이죠. 아니, 월급 받는 직장만 찾고 있으면 그런 직장이 어느 시절에 나타난답니까. 오히려 직장 다니는 사람마저 구조 조정한다고 다 짤리는 판에 형님 나이에 형님 경력 같은 사람들을 어느 회사에서 쓴답니까. 그리고 경찰도 이런 장사는 건드리지 않아요. 이 장사는 세상 밑바닥까지 간 사람들이 마지막으로 벌어먹는 생계형 직업이라, 보고도 못 본 척 눈감아 주는 사업이에요. 여기는 짭새들도 자주 놀러와요. 겁먹을 필요 없어요. 같이 소주나 한잔하면서 봉투 하나 만들어서 슬쩍 호주머니에 넣어주면 되요. 명함만 여기저기 뿌려놓으면 손님들이 제 발로 찾아와서 기름 넣어 주라고 찾아오는 사업이 어디 흔한지 아요. 그리고 형수님도 집에서 그냥 놀고 계시면 고물상에서 경리로 일하시라고 하세요. 고물상 주인이 내 고향 후배인데, 채용하는 경리마다 고물상이 더럽고 냄새난다고 한두 달도 못 견디고 그만둬버려서, 때마침 오래 있을 아줌마로 구해 주라고 했단 말입니다. 내가 형님 와이프라는 말 않고 그냥 동네에서 아는 착실한 아줌마라고 추천할 수 있어요, 형님도 모른척하고 계시면서 사업하시면 안팎으로 버니까 좋을 것 아닙니까.

계산을 해 보니까, 후배 말이 틀린 것은 아니었다. 승용차 한 대에 비빔밥 두 깡통이 들어가니까, 한 깡통에 오천원 씩 치면 만원이 마진이었다. 하루에 열 명만 찾아와도 십만 원 벌이는 족히 될 듯싶었다. 후배는 하루에 적어도 이십만 원은 호주머니에 들어온다고 장담을 했다. 특히 연휴가 낀 추석이나 구정 같은 대목 때는 물건이 없어서 못 판다고 했다. 후배가 침을 튀기며 장사 자랑을 하는 동안에도 손님 두어 명이 찾아와서 기름을 넣고 갔다. 그동안 법에 걸리는 것은 한 번도 해 보지 않았던 그로서 가장 마음에 걸리는 것은 경찰 단속이었다. 내색은 안 했지만 아내까지 취직시켜 준다는 말에는 은근히 귀가 솔깃했다. 좋은 쪽으로만 생각하다 보니 워낙 서민들 생계형 사업이라 경찰이 알고도 단속을 않는다는 후배의 말도 그럴 듯하게 느껴졌다. 후배는 그에게 사업을 넘겨주고 지역 총판 도매업으로 본격적으로 나선다고 했다. 물건은 어디선가 만들어 오는데 대포폰으로 연결해서 주문을 하기 때문에 서로 통성명을 할 필요도 없다고 했다. 물건과 돈을 서로 맞바꾼다고 했다. 그것이 피차 서로 좋다는 것이었다.

저녁때, 거실에서였다. 컨테이너에 남아 있는 비빔밥이 거의 바닥이 나 후배에게 주문을 하려는 참이었다. TV 뉴스에서 유사 휘발유 어쩌구 하는 소리가 흘러나오자 귀가 번쩍 뜨였다. 그의 시선도 저절로 TV 화면으로 향해졌다.

대전시 서구 갈마동 원룸촌 주차장에 세워진 승합차에서 화재가 발생, 승합차와 1톤 화물차를 전소시킨 뒤 20여 분 만에 진화됐습니다. 그 화재로 인하여 주차장과 맞붙어 있던 원룸 2채, 1~2

층이 승합차 등에서 발생한 폭발과 화력에 의해 심하게 그을렸으며 유리창도 파손됐습니다. 불이 나자 소방차 10여 대가 출동하여 진화 작업을 벌였지만 인화 물질이 많아 초기 진화에 어려움을 겪었습니다. 인근 주민들은 "승합차에서 휘발유를 싣고 있는 작업을 하는 거 같았으며 누군가 담배를 핀 뒤 불이 났다."고 말했습니다. 경찰은 유사 휘발유를 옮기다 화재가 난 것으로 보고 정확한 화인을 조사 중이며 차량 소유주의 신원 파악에 주력하고⋯.

유사 휘발유 때문에 화재가 발생했다는 뉴스였다. 그는 옆에 앉아 함께 TV를 보던 아내 눈치가 살펴졌다. 아내는 별다른 기척이 없다. 툭하니 한마디 뱉을 따름이었다.

당신도 기름 넣어 줄 때 조심하쇼. 특히 담배를 조심해야 돼요. 탑차에서 담배라도 피었다가는 저 꼴이 날 수도 있으니까요.

아내의 관심은 TV 뉴스가 아닌 다른 것이었는지, 불쑥 고물상 이야기가 튀어나왔다.

내가 며칠간 출근하면서 살펴보니 고물상 매상이 괜찮은 것 같습디다. 장사가 앞으로 남고 뒤로 밑진다던데, 고물상은 앞으로는 밑지지만 뒤로 남는 모양입디다. 김 사장이 폐지 더미에 날마다 물 붓는 것 보았지요. 그것이 다 무게 올리려고 그런답니다. 제지 회사에서는 알고도 납품을 받는다나요. 고철은 더 말할 것도 없고요. 고철은 하룻밤 자고 나면 가격이 오르고 또 하룻밤 자고 나면 또 오르고, 쌓아만 놔도 그것이 저절로 가격이 올라갑디다. 옛날부터 천한 장사가 많이 남는다던데 고물상이 딱 그런 모양이요.

가짜 휘발유보다는 고물상 경기에 대해 얘기하는 아내가 그래도 다행이다 싶었다.

손님을 기다리느라 차에 앉아 있다가 잠깐 잠이 들었을까, 무슨 소린가에 눈이 떠졌다. 고물상 김 사장이 차 유리창을 두드리고 있었다.

형님, 잠깐 사무실로 들어오실라요.

몸이 물먹은 솜처럼 무거웠다.

왜, 무슨 일 있는가?

우리 관할 형사가 찾아왔어요. 박 형사라고…, 내가 형님 인사 시켜 드릴게요.

그는 깜짝 놀라 가슴이 두근거렸다. 김 사장은 그의 속마음을 읽은 것처럼 설레발을 치듯 두 손을 옆으로 흔들면서 낮게 속삭였다.

박 형사는 이까짓 것은 건들지 않아요. 한 달에 한 두어 번 그냥 순찰차 들러보는 거예요. 형님 같은 사람을 잡아넣기 시작하면 전국적으로 수천 명이 범죄자가 나오지요. 큰 건수라면 몰라도…, 가끔씩 소주 값이나 쥐여 주면 되고….

도살장에 끌려가는 소처럼 발걸음이 떨어지지 않았지만 김 사장을 따라서 사무실로 들어갔다. 사무실에는 아내가 커피를 타네, 재떨이를 내놓네 하며 호들갑을 떨고 있었다. 사무실에 들어서는 그를 먼저 본 아내가 눈을 찡긋했다.

아이고, 새로 인수하신 사장님이신가요.

박 형사는 훤칠한 용모에 깔끔한 정장을 입고 있었다. 그에게 악수를 청하는 박 형사는 유들유들하니 웃는 표정이었다. 어찌 보면 사슴을 잡아 놓고 놀리고 있는 늑대와 같은 심정일 지도 모른다.

예, 예, 처음 뵙겠습니다.

그는 박 형사의 시선을 옆으로 피하며 손을 슬쩍 내밀었다.

잘 지내십니다. 지나는 길에 그냥 한번 들러 봤습니다. 오랜만에 와 보니 사람들이 많이 바뀌졌네요. 기름집 사장님도 바뀌지셨고, 어여쁜 아가씨도 와 계시고….

어여쁜 아가씨라는 대목에서 강조를 하듯 너털웃음을 웃었다. 그는 슬쩍 아내의 눈치를 살폈다. 아내의 얼굴이 순간적으로 홍조를 띤 것처럼 느껴졌다.

아이, 형님, 아가씨가 아니고 아줌마예요. 아가씨들은 한 달도 못 채우고 그만두는데 아주머니가 계시니까 가끔씩 점심도 해 먹고 아주 좋습니다. 식당 밥도 자주 먹으니 물리잖아요. 좌우튼 잘 봐주십시오.

김 사장이 너스레를 떨었다.

김 사장, 자네는 여자들한테 나이 젊다고 하는 것이 좋은 줄도 모른가. 이 여자 분이 어디 아줌마 같은가! 딱 봐도 아가씨지. 아가씨, 안 그래요!

박 형사는 아내에게 말을 시키고 싶은 모양이었다.

그럼요, 젊다고 해서 싫어할 여자가 누가 있겠어요. 예쁘다고 해서 싫어할 여자가 누가 있겠어요. 자주 들러 주세요. 커피는 언제든지 공짜니까.

아내도 그럭저럭 말대답을 하였다.

예쁜 아가씨한테 차 얻어 마시려면 자주 들러야겠네요. 그런데 사실 오늘은 내가 기름 사장님한테 용건이 있어서 왔습니다.

박 형사가 그를 바라보더니 정색을 하고 말했다. 그는 순간 몸이 딱딱하게 굳는 것 같았다. 하지만 내색을 하면 안 된다고 마음속으로 다짐하고 최대한 목소리를 부드럽게 하면서 물었다.

무슨 일이신데요?

요즘, 유사 휘발유 때문에 사고가 많이 나는 모양입니다. 엊그제 참에도 충청도 쪽에서 화재가 발생했다고 합니다. 그래서 유사 휘발유를 생산하는 공장이나 대규모 유통을 시키는 큰 손을 잡아들이라는 지침이 떨어졌어요. 여기같이 하루에 대여섯 깡통 팔아서 먹고사는 소매상까지 단속하라는 것은 아니고….

그러면서 잠깐 말을 끊더니 그를 정면으로 바라보더니 다시 말을 이었다.

그렇지만, 사장님도 누구로부터 기름을 공급 받을 것 아닙니까. 그러면 그 누구는 또 기름을 대규모로 제조하는 사람으로부터 공급을 받을 것이라는 말입니다. 그러니까, 우리 경찰은 대규모로 제조하는 사람을 알고 싶다는 것이지요. 아직 사장님은 그런 루트를 전혀 모르시겠지만…, 아무튼 그것 때문에 한번 들러 봤어요. 사장님께서 협조를 해 주시면 도움이 되겠지요.

박 형사가 솔직하게 자신이 찾아온 용건을 밝히고 있었다. 그는 속으로 뜨끔했다.

차를 다 마신 박 형사가 가야겠다고 일어섰다. 그러자 고물상 김 사장이 그의 허리를 쿡 찌르며, 귓속말로 '형님, 돈 좀 있으면 봉투에 넣어 줍시다.'라고 속삭였다. 그는 서둘러 지갑을 털어 돈을 꺼내 주며 자신이 그렇게 눈치가 없나 싶었다.

박 형사님, 준비가 안 되어서 약소하지만 점심 값이라도 하시죠.

아이, 뭐요. 그러면 내가 여기 놀러 올 수도 없어서 안 되지….

밖으로 나가는 박 형사와 그를 졸졸 따라 나가는 김 사장의 목소리가 차츰 멀어졌다. 그는 비로소 마음이 편해졌다. 하지만 '사장님이 협조해 주시면 도움이 …' 어쩌고 했던 박 형사의 마지막 대목이 걸렸다. 언젠가 그것 때문에 박 형사에게 약점이 잡힐 것 같은 예감이 들었다.

웬 형사가 저렇게 멋을 내고 다니는지 모르겠네요. TV 보면 형사들은 우락부락하니 덩치가 크고 못생겼던데….

설거지를 한다고 왔다 갔다 하던 아내가 그의 눈치를 살피며 혼잣말처럼 중얼거렸다. 박 형사를 배웅했던 김 사장이 들어왔다. 그는 머리를 벅벅 긁으며 신경질적으로 말을 줄줄 뱉어냈다.

아따, 형님. 박 형사가 이제 문턱 닳아지게 오게 생겼네요. 옛날에는 장물 찾는다고 고물상에 가끔 들렀는데 이제 기름 큰손 잡는다는 명분까지 생긴 데다, 우리 사무실 아주머니 이쁘다고 침 흘리는 것이… 돈 좀 들게 생겼는데요.

그리고는 살짝 귓속말로 '형님이 주신 돈이 십사만 원입니다. 내가 육만 원 채워서 이십만 원 봉투에 넣어 줬어요. 지금까지 돈 주는 데 싫단 사람 못 봤으니까…'라고 속삭였다. 김 사장의 말을 듣는 동안 그는 아무 느낌도 없었다. 그저 머리가 멍할 따름이었다.

아내가 고물상에 출근한 뒤로는 그도 숫제 늦잠도 잘 수가 없었다. 비빔밥을 차에 넣으려는 사람들은 오전 열 시가 넘어야 찾아온다. 그러나 아내를 태우고 가야 하기 때문에 아침이면 일찍 서둘러야 했다.

고물상은 새벽부터 문을 열었다. 노인들은 수집한 폐지를 리어카에 싣고 새벽부터 찾아온다. 김 사장이 새벽 여섯 시에 문을 열고 폐지를 저울에 달아 무게를 재고 돈을 나눠 준다. 노인들은 주택가나 상가의 쓰레기장이나 도로를 밤새 돌아다니면서 폐지를 주워 리어카에 싣고 고물상이 문을 열자마자 들어오는 것이었다. 시간대를 잘못 맞추면 다른 사람들이 먼저 훑어가기 때문에 새벽 한 시나 두 시부터 돌아다니며 고물을 걷어야 했다. 노인들은 폐지 값으로 삼천 원도 받고 오천 원도 받았다.

아내는 여덟 시가 출근시간이다. 그는 아내를 고물상 근처 큰길에 내려 준다. 아내는 버스 타고 온 것처럼 고물상에 출근한다. 서로가 부부인 것을 숨기기 위해서다. 아내를 내려놓고 나면 그는 다시 집에 돌아오거나 다른 일을 보고 열 시쯤 출근을 했다. 아침 시간에는 찾아갈 곳도 없기 때문에 대개는 집에 돌아와 청소를 하거나 설거지를 했다. 아내가 화장하느라 설거지할 시간도 없다고 잔소리를 시작한 뒤로 설거지는 그의 몫이 되었다.

아내는 곱상한 편이어서 섬세하고 부드러운 여자처럼 느껴지지만 사실은 고집이 세고 털털했다. 아내가 설거지를 하면 온통 싱크대가 물바다가 되기 일쑤였고, 그릇도 크고 작은 것, 대접과 접시가 대충 섞여 쌓여 있었다. 반면에 그는 설거지를 할 때도 나름대로 정한 순서와 방식에 따라 했다. 세제를 아주 적게 수세미에 따라 먼저 기름기가 없는 그릇부터 닦았다. 그리고 나중에 씻을 거리가 많은 밥솥이나 냄비를 닦고 프라이팬은 마지막에 닦았다. 특히 프라이팬은 물을 약간 부어 다시 가스레인지에 올려 달군 후에 물을 따라 내고 화장지로 기름기를 제거한 후 수세미로 씻었다. 설거지가 끝나면 그릇도 같은 그릇끼리 단정하게 쌓아 올렸다. 설거지만 그런 것이 아니었다. 방 청소도 그렇고 세탁기에서 꺼낸 빨래를 널 때도 마찬가지였다. 수건은 수건끼리 옷은 옷걸이에 걸고 양말은 반듯하게 펴서 집게에 집어 널었다. 아내가 집안일을 뒤죽박죽으로 하는 것을 보면 뭐라고 참견하고 싶었지만 그러다가는 다툼이 일어날까 싶어 모른 척 하였다. 그렇게 살아오다 아내의 생활 방식에 동화되고 말았다. 아내의 방식이 눈에 거슬리기 시작한 것은 그가 집안일을 조금씩 거들기 시작하면서부터였다. 실직하여 집안에 있는 시간이 많아지면서 집안일이 조금씩 그의 몫으로 넘어온 것이다. 그가 집안일에 손을 대면서 색다른 느낌을 갖기도 했다. 아내의 참견 없이 자신의 방식대로 일을 할 수 있다는 데에서 일말의 자유로움이나 설거지가 끝나 그릇들이 깨끗하고 단정하게 쌓여져 있는 모습에서 약간의 쾌감도 느껴졌다.

출근한 뒤로 아내는 화장하는 시간이 늘어났다. 언제 저런 옷이 있었나 싶도록 옷차림도 달라졌다. 귀가하는 시간도 늦어질 때가 많아졌다. 출근은 그가 승용차로 태워 주지만 퇴근은 버스 타고 다녔다. 퇴근 시간이 서로 맞지 않았기 때문이다. 고물상에서 아내는 6시쯤 끝나지만 그는 손님이 원하면 일곱 시나 여덟 시까지도 기다려야 했다. 가끔 단골손님의 전화 예약도 생겼다. 그 외에도 친구들 모임이 있었고, 김 사장과 술 한잔하기도 했고, 그래서 저녁은 불규칙했다. 아내도 가끔씩 늦는 눈치였다. 그가 아내보다 먼저 귀가한 적도 있었다. 별다른 약속이 없어서 퇴근하고 바로 집에 들어갈 때가 있었는데, 아내는 집에 없고 초등학교 다니는 아이가 컴컴한 거실 컴퓨터 앞에 앉아서 게임에 빠져 있었다. 아이에게 밥상을 차려 주고 한참 있으니까 아내가 들어왔다. 아내는 그가 일찍 들어온 것이 별일이라는 표정을 잠깐 지었을 뿐이었다. 아내는 아무런 해명도 하지 않고 그도 묻지 않는다.

하긴 아내와 잠자리도 불편해진 지 오래였다. 언제부턴가는 부부관계도 드문드문했다. 이유는 그에게 있었다. 실직하고 일 년쯤 지나 퇴직금을 까먹다가 거의 바닥이 났을 때였다. 정확히 따지면 아내가 생활비가 어쩌고 구시렁거렸을 때쯤부터였다. 밤에 잠자리에서 아내가 섹스를 원했다. 그런데 아무리 노력해도 발기가 되지 않았다. 그 후부터 그 증상이 자주 찾아왔다. 그러다 몇 달쯤 후부터는 발기가 전혀 되지 않았다. 이상한 일이었다. 혼자 자위를 해 보면 정상적으로 발기가 되었다. 그런데 아내와 함께 관계를 가지려고 하면 되지 않았다. 아내는 병원에 가 보라고 했지만 그는 그런 것으로 병원에까지 갈 필요는 없다고 생각했다. 그러다보니 아내와 잠자리는 소원해진 지가 벌써 해가 넘어서고 있었다. 그 사이 내내 발기가 되지 않았던 것은 아니었다. 어느 날 밤이었던가, 술이 잔뜩 취해 집에 와 옷을 대강 벗고 누웠는데 누군가와 섹스를 했던 것 같았다. 그날 섹스는 잘 되었던 듯싶었다. 새벽에 속이 쓰려 일어나 보니 집 안방이었고 아내가 옆에서 자고 있었다. 그렇지만 정신이 멀쩡한 상태에서는 여전히 발기가 되지 않았다. 그것이 계속되다 보니 아내와는 잠만 같이 잘 뿐이지 각방을 쓰는 것이나 매한가지였다. 나중에는 각자 이불 따로 덮고, 술에 취한 날이면 술 냄새 풍기는 것이 미안해서 거실 소파에서 자기 십상이었다.

　술에 취해 소파에서 잘 때면 TV를 켜서 자막이 있는 심야 영화 채
널을 보았다. 그 이유는 소리를 죽이고도 TV를 볼 수가 있기 때문이
었다. 소리가 들리면 안방에서 자고 있던 아내가 깨서 거실로 나올 때
가 있었다. 그는 그냥 잠에 곯아떨어진 척 했다. 아내는 이불을 들고
나와 덮어 주고 TV와 불을 끄고 다시 방으로 들어갔다. 가끔은 자고
있는 그를 한참 내려다보곤 했다. 그럴 때면 그는 꼼짝도 못하고 자고
있는 척해야 했다. 그런 경우가 가장 괴롭고 불편했다. 그 후부터는
거실 불을 끄고 조용히 TV를 켠 후 소리가 나지 않도록 볼륨을 최저
로 줄이고 여기저기 리모컨을 눌러 적당한 채널을 찾았다. 그가 좋아
하는 채널은 주로 줄거리가 있는 영화였다. 그냥 여자가 옷을 벗고 나
오는 포르노 비슷한 영화도 자주 방영되었지만 그런 것은 싫었다. 그
는 줄거리가 있는 영화 속의 남녀가 사랑하는 장면을 보면 은근히 달
아올랐다. 주인공들의 감정 속에 몰입하다 보면 남녀 주인공들이 사
랑하는 장면에서 달아올랐고 그럴 때면 자위를 했다. 영화를 보면서
자위를 하는 것이 훨씬 쾌감이 컸다. 실제 섹스하는 것보다 쾌감이 더
나은 것 같았다. 원래 자위가 그렇게 쾌감을 주는 것인지, 아니면 영
화를 보면서 하는 자위 행위가 쾌감을 배가시켜 주는 것인지, 그것까
지는 알 수 없었다. 심지어 자위가 주는 쾌감이 중독성이 있다는 생각
이 들기도 했다. 노래가 레코드판에 기록되듯 쾌감도 뇌의 어느 부분
에 깊이 패여 기억되는 것이라고 느껴졌다. 인간의 뇌가 생고기 집에
서 접시에 담겨 나오는 허연 덩어리처럼 생겼으며, 그 덩어리에 자위
를 할 때 주름이 가장 깊이 팰 것 같은 상상이 떠오르기도 했다.

비빔밥이 거의 다 떨어지도록 후배가 연락이 되지 않았다. 다른 때에는 후배가 알아서 적당한 때에 전화를 했다. 그러면 그는 후배가 지정하는 시간과 장소로 탑차를 끌고 나가 그의 트럭이나 후배의 컨테이너 차에서 비빔밥을 옮겨 실었다. 시간도 밤중이거나 새벽이거나 해서 대중이 없었다. 처음에는 밤중에 접선을 했지만 최근에는 대개 새벽 두세 시쯤이었다. 게다가 박 형사가 다녀간 뒤로는 특히 조심해야 한다며 전화도 자주 하지 않았다. 박 형사는 그 뒤로도 가끔씩 들렀다. 박 형사는 아내 혼자 있을 때도 들렀다. 나중에 아내에게 물어보면 그냥 커피만 한잔 얻어먹고 이것저것 물어보고 갔다는 말만 했다. 박 형사는 다녀가는 길에 그와 악수를 하면서 물건이 있는 탑차를 한참이나 쏘아보기도 했다. 박 형사의 본심은 무언가 큰 건 하나를 잡겠다는 것이 분명했지만 어떻게 하겠다는 것인지는 알 수 없었다.

그는 비빔밥을 가지러 갈 때는 뒤따르는 차가 있지는 않나 하고 세심하게 주위를 경계했다. 박 형사가 미행을 붙일지도 모를 일이기 때문이었다. 그날은 아예 아내에게도 친구들하고 술을 먹느라 늦을지도 모르니까 기다리지 마라고 초저녁에 전화를 해 두었다. 고물상 김 사장에게도 친구들 모임이 있다고 말하고 일찍 자리를 떴다. 또 술을 먹으면 안 되니까 기다리는 동안에 길거리에 주차해 있는 승용차 유리창 틈에 명함을 끼워 놓는 작업을 하거나 PC방 같은 데를 다니며 시간을 보냈다. 명함을 뿌리는 일은 두어 시간이 넘다 보면 다리가 아프고 마음도 고달파져서 계속할 수가 없었다. 그럴 때는 PC방에 들어가 인터넷으로 바둑을 두거나 고스톱 놀이를 했다. 그렇게 시간을 때우다

약속한 시간이 되면 다시 탑차가 있는 주차장으로 갔다. 주차장에 들어설 때도 근처를 한 바퀴 빙 둘러보고 안심이 되어야 탑차를 끌고 약속 장소로 출발했다.

도시라고 하지만, 새벽 두세 시에 차를 대 놓고 물건을 옮겨 실을 곳이 그리 많지는 않다. 공터가 큰 마트 주차장 같은 곳은 가로등이 여기저기 켜져 있어 작업하기에 적당하지 않았다. 주택가 골목은 금방 눈에 띄기 때문에 작업을 할 수 없다. 그러나 후배가 전화로 지정한 곳을 가 보면 꼭 그런 작업에 적당한 곳이었다. 가로등도 없고 주변에 인적도 없는 그런 곳이었다. 매번 장소가 바뀌었다.

형님, 단속이 심해져서 비빔밥 만들기도 힘든 모양입니다.

그래, 고생이 많네. 그런데 박 형사가 자주 찾아와 걱정이야. 이번 주만 해도 벌써 두 번이나 왔어.

그 새끼, 옛날에 내가 돈 많이 줬는데, 형님, 눈 꾹 감고 돈 좀 쥐여 줘 버려요.

후배 눈초리가 흥분한 듯 희번덕거렸다.

그거야, 나도 조금씩 돈을 주고 있어. 나 대신 고물상 김 사장이 처세를 잘 해.

그럴 겁니다. 김 사장이 은근히 날담보란 말이에요. 사실은 형님보다 김 사장이 더 약점이 많아요. 고철은 장물이 많거든요. 흐흐흐, 김 사장은 형님 돈을 가지고 생색을 내고 있는 셈이지요. 형님이 순진해서 그렇지….

후배는 혼잣말 하듯 내뱉다가 쿡쿡 웃으며 말문을 닫았다.

형님이 순진해서… 어쩌구 하는 대목에서 그는 봉투에 돈을 넣어

박 형사에게 건네줄 때면 항상 김 사장이 자기가 대신 전해 주겠다고 나서던 장면이 떠올랐다. 하지만 김 사장이 그의 돈으로 생색을 냈다고 하더라도 그는 도저히 자기 손으로 봉투를 전해 주지 못했을 것이라 생각 때문에 김 사장이 밉다고 느껴지지 않았다.

형님, 아무튼 이번 고비만 잘 넘깁시다. 지금 휘발유 값이 계속 오르잖아요. 그럴수록 우리 사업은 번창해지는 거예요. 사실, 형님이야 단속에 걸려도 벌금밖에 안 나와요. 벌금 내면서 계속하는 사람도 많아요. 나 같은 도매업자나 제조업자가 구속이 되는 거지. 나도 이번 기회에 한 일 년만 제대로 한탕 해먹고 손 씻을랍니다. 아무튼 조심이 최고예요. 형님은 절대 안 걸립니다. 만약 걸리면 내가 손에 장을 지질랍니다. 박 형사 그놈이 나한테만 해도 받아먹은 돈이 모아 놓으면 집 한 채도 넘을 겁니다. 형님, 오히려 문제는 공급이 달린다는 거예요. 형사들이 공급책을 잡으려고 불을 켜고 다니니까, 어디서 제대로 안심하고 만들 수가 없어요. 좌우튼 내가 저기 충청도나 경상도까지 손이 닿으니까 형님 물건은 제일 우선적으로 책임질게요. 정 안되면 내가 직접 제조할까도 생각하고 있어요. 형님은 안심하고 팔기나 하세요.

사실 한 이십 분이면 작업은 끝이 났다. 그의 일 톤 탑차에는 많아 봐야 보름치 물건밖에 싣지 못했다. 후배가 가지고 다니는 컨테이너에서 그의 물건은 반에 반도 차지하지 않았다.

휘발유 값이 오르면서 손님이 많아졌다. 그가 잠깐 자리를 빌 때에는 김 사장이 대신 비빔밥을 넣어주기도 했다. 사실 비빔밥을 차에 넣는 것이 어려운 일이 아니었다. 손님이 오면 탑차에서 비빔밥 한 깡통을 빼서 차 주유구에 넣어주기만 하면 끝이었다. 그것도 손으로 따르는 것이 아니라 주유구에 넣는 펌프식 기계를 이용했다. 고객이라고는 대개 연식이 오래된 승용차들이지만 간혹 그랜저 같은 고급 승용차도 왔다. 중고차를 타는 서민들이 고객이었을 뿐 아니라 비빔밥을 넣으면 차가 고장이 잘 난다는 소문 때문인지 새 차들은 잘 오지 않았다. 그래도 비빔밥을 넣고 서울을 갔다 오면 한 오만 원이 이익이라고 했다. 그러니 손님이 끊어질 리가 만무했다. 가끔 가다 비빔밥 때문에 엔진이 고장 났다고 고쳐 달라고 떼를 쓰는 손님들이 오면 앞에 있는 카센터에서 고쳐 주기도 했다. 대부분 비빔밥의 주요성분인 시너가 엔진 분사기를 부식시키면서 생긴 고장이었다.

날이 갈수록 박 형사의 발길도 잦아졌다. 마치 고물상과 주차장을 단골손님처럼 스스럼없이 다녔다. 박 형사가 다녀갈 때마다 얼마씩이라도 봉투를 준비해야 했다. 매출이 늘어나 돈을 번 것처럼 느껴졌지만 계산을 해 보면 처음과 비슷했다. 거의 삼분의 일이 박 형사 호주머니로 들어가고 있었다. 심지어는 고물상에서 일주일에 한 번씩 벌리는 회식날까지도 들렀다. 고물상에서 폐지를 수집해서 가져오는 노인들에게 격려차 삼겹살과 막걸리를 내는 회식이었다. 드럼통을 잘라 만든 반원형 판에 숯을 넣어 불을 지핀 후에 석쇠를 놓고 삼겹살을 구우면서 노인들에게 막걸리를 따라 주었다. 노인들은 많이 먹지 못했다. 그저 고기 몇 점에 막걸리 두어 잔 걸치면 옛날 유행가 몇 소절 흥얼거리다가 리어카를 밀고 집으로 갔다. 그것이 김 사장의 고물상이 잘 되는 비결이었다. 그도 한 번씩 삼겹살을 사서 찬조했는데 어느 날은 박 형사까지 삼겹살을 사 들고 왔다. 노인들은 모두 돌아가고 김 사장과 박 형사와 아내까지 넷이 마지막까지 남았다. 김 사장이 빙글 빙글 웃으며 한마디했다.

이런 날까지 박 형사님이 오시니 감사합니다만, 혹시 미쓰 정한테 딴 맘 있는 것은 아니겠지요. 미쓰 정은 유부남은 싫답니다. 안 그래요. 미쓰 정.

박 형사가 아가씨라고 부른 후부터 김 사장은 아내를 미쓰 정이라고 불렀다. 아내는 설거지하다 말고 뒤를 돌아보며 '그럼, 당연한 말씀이지요.'라고 맞장구쳤다.

아이, 내가 무슨… 그냥 오늘 일찍 일이 끝나서 마침 할 일도 없고…. 생각해 보니 금요일은 매주 삼겹살 잔치를 한다고 해서 그냥 오기도 그렇고 해서….

박 형사가 민망한 듯 말을 더듬었다.

아니, 그렇다고 오시지 말라는 것은 아니고, 감사하다는 말씀입니다. 박 형사님이 우리를 항상 보살펴 주시니 저희들이 별 탈 없이 먹고사는 것 아니겠습니까.

박 형사가 평소답지 않게 당황해하니 김 사장이 수습하기 위해 마무리하는 말이었다.

아내가 설거지를 끝내자 문단속을 하고 모두들 공터로 나왔다 그는 별일이 없어 아내와 함께 퇴근을 할 수 있겠다고 생각했다. 아내를 먼저 내보낸 후 버스정류장에서 아내를 차에 태워 귀가할 참이었다. 가끔씩 퇴근 시간이 같을 때면 그렇게 해 왔다. 그런데 박 형사가 갑자기 아내의 집 방향을 물었다.

미쓰 정, 집이 어디 쪽인가요. 방향이 맞으면 내가 태워 드리지요.

집이요? 전 괜찮은데요. 버스 타면 금방이에요.

아내가 그의 눈치를 보며 당황해하는 것 같았다.

그래도, 어차피 같은 방향이라면… 버스비를 아껴야죠.

박 형사도 집요했다.

그래요, 미쓰 정. 석유 한 방울 안 나오는 우리나라에서 에너지를 아껴야죠.

김 사장이 결론처럼 쐐기를 박았다.

아내는 박 형사의 고급 승용차에 올라탔다. 그는 박 형사에게 악수만 하고 아내 쪽은 아예 바라보지도 않았다. 차에 올라탄 아내가 그를 살짝 돌아보는 것 같았다.

박 형사의 차가 멀어져가자 김 사장이 고개를 갸우뚱거리며 한마디 내뱉었다.

형님, 방금 미쓰 정 집이 북동이라고 했지요. 형님 집도 그쪽이지요. 박 형사 집은 아마도 그 반대쪽인 것으로 아는데, 그쪽으로 이사 갔을까요!

그로서는 난처한 질문이었다. 그때 마침 단골손님이 찾아왔다. 오래된 중고차를 가지고 영업을 다니는 사람이었다. 혹시 퇴근했는가 싶어 들러 봤다며 다행이라고 빨리 넣어 달라고 재촉을 했다. 김 사장은 먼저 간다며 고물상 문을 한번 흔들어보고 차에 시동을 걸었다. 탑차에서 깡통을 꺼내 뚜껑을 따려는데 아내 얼굴이 떠올라 잘 따지지 않았다. 기름을 다 넣고 돈을 받고 나니 아내가 타고 있을 박 형사 차는 지금 어디쯤 달리고 있을까 궁금증이 치밀었다. 집에 가 보면 알

것을 무슨 조바심인가 싶기도 했다. 아내에게 핸드폰을 걸어 보면 금
방 알 수가 있겠지만, 아직 박 형사 차에서 안 내렸을지도 모르니 전
화를 걸 수도 없었다. 집에는 아이가 혼자 있을 것이다. 그는 차를 타
고 가면서 집으로 전화를 걸었다. 벨이 한참 울려서야 아이가 전화를
받았다.

엄마, 들어왔니?

아니, 조금 있다가 온다고 했어요.

언제 전화 왔어?

한 오 분전.

저녁은 먹었니?

예.

아이가 짧게 무신경적으로 이야기하는 것으로 보아 또 컴퓨터 게
임에 빠져 있는 것이 분명했다. 전화를 끊자마자 문자가 하나 들어왔
다. 번호가 아내였다.

박 형사님이 차 한

잔하자고 해서 따라

옴 금방 들어갈게요

먼저 들어가세요

그는 맥이 풀렸지만 한편 안심도 되었다. 별일이 있겠느냐고 스스
로에게 다짐을 하였다. 그가 집에 도착한 후 한 시간쯤 후에 아내가
들어왔다. 그는 아무 말도 하지 않고 TV만 보았다. 아내도 화장실을

오갈 뿐 아무 말도 하지 않았다. 그러다가 얼굴에 하얀 크림을 잔뜩 발랐다가 지우면서 지나가는 투로 한마디 건넸다.

박 형사 집이 저기 새로 분양한 아파트 동네라고 하데요. 그런데 당신이 기름을 어디서 가져오더냐고 물어서 속으로 께름칙합디다마는 그냥 나는 모른다고 잡아뗐어요. 후후후…, 그리고 나보고 몇 살이냐고 자꾸 묻는데…, 내가 아직 젊게 보이는 모양인가!

그는 은근히 부아가 솟구쳤다.

기름을 어디서 가져오는지 당신도 모르잖아! 그 나이가 다 되고도 남자가 여자보고 젊다고 하는 것은 여자를 꼬실 때 쓰는 뻔한 수법인 줄 몰라?!

그는 자기도 모르게 버럭 소리를 질렀다. 아내가 화들짝하니 놀라 눈이 둥그레졌다. 그도 자신의 큰 목소리에 스스로 놀라 민망해졌다. 하지만 아내에게 사과하고 싶은 생각은 나지 않았다. 통쾌했다. 게다가 오랜만에 아내에게 큰소리치는 자신이 대견하기조차 했다.

추석을 보름쯤 앞둔 목요일이었다. 공교롭게도 다음 날인 금요일이 공휴일이었다. 삼 일간 연휴가 되면서 오전 아홉 시부터 손님들이 찾아들었다. 시제와 벌초 시즌이었다. 손님들은 끊어질 듯 이어지면서 탑차 절반쯤 차 있던 비빔밥을 거의 바닥냈다. 저녁 여덟 시까지 손님들이 이어졌다. 여덟 시가 되자 탑차 문을 잠그고 주차장을 나와 버렸다. 그러고도 전화가 계속 왔다. 내일 오전에 영업하니 들르라고 둘러댔다. 그러고 보니 물건이 거의 바닥이 난 상태였다. 후배에게 전화를 걸었다. 후배는 물건이 없다고 죽는소리를 했다. 내일 물건을 대려면 밤에 물건을 받아야 하는데 걱정이 되었다. 후배에게 일단 만나자고 사정을 했다. 후배가 그럼 소주나 한잔하자고 했다. 자기가 주차장 가까운 술집으로 오겠다고 했다.

아내에게 오늘은 친구들하고 술 약속이 있어 늦겠다고 문자를 했다. 아내도 회식 때문에 늦을 것 같다고 문자가 왔다. 오늘은 고물상 식구들 회식이었다. 삼겹살 회식이 아니고 근처 식당에서 정식으로 하는 회식이었다. 그가 한참 손님들에게 기름 넣고 있을 때 고물상 김 사장과 노인들이 문을 닫고 우루루 몰려 나갔다. 아마 이차로 노래방 같은 곳도 갈 것이다. 그러면 아내도 꽤 늦을 터였다.

후배는 여전히 의기양양했다.

형님, 사업이 괜찮지요. 나도 그저께 밤부터 컨테이너를 다섯 탕이나 비웠어요. 오늘 밤도 형님처럼 여기저기서 물건 달라고 전화가 불이 났지만 사실은 물건이 동이 나 불었어요. 팔고 싶어도 못 판단 말입니다. 추석만 생각했지 이번 삼 일간 연휴는 깜박했지 뭡니까. 형님도 남은 것 내일 오전에 다 팔아 치우고 이번 연휴는 그냥 푹 쉬어 버려요. 형수님이랑 어디 온천이나 놀러 가시던지….

물건이 동이 났다는 말이 불안했다. 내일은 그냥 넘어간다고 해도 연휴가 끝난 월요일부터가 걱정이었다. 그는 후배에게 단단히 못을 박아야겠다고 작정했다.

진짜, 연휴가 대목이구나. 그럼 추석 때는 더할 것 아니냐. 내일은 그렇다 치더라도 월요일부터는 다시 정상적으로 영업할 수 있도록 네가 힘 써주라.

형님, 걱정 마쇼. 아마도 연휴 동안에 비빔밥이 충분히 준비되어 있을 겁니다. 연휴 때는 경찰들도 다 쉬잖아요. 세상이 다 그렇게 돌아가는 것이지요, 허허허.

오랜만에 지갑이 두툼해서였는지 그는 술을 꽤 마셨다. 그가 술값을 내겠다고 해도 그깟 푼돈 버는 그보다는 자기가 부자라면서 후배가 기어이 술값까지 치렀다. 그러다 보니 열두 시가 가까워졌다. 후배를 먼저 택시에 태워 보내고 나니 어디로 갈까 망설여졌다. 택시 타고 집으로 바로 갈까 아니면 주차장에 가서 대리운전을 해서 차를 가지고 갈까 해서였다. 술도 깰 겸 주차장에 걸어가서 대리운전을 하는 것이 나을 것 같았다. 어차피 내일 출근할 택시비까지 따지면 그 돈이 그 돈이었다.

주차장에 들어서자 탑차가 먼저 눈에 띄었다. 저게 저래 뵈도 내 사업장이구나라고 생각하니 가슴이 뿌듯했다. 그 옆에 있는 자신의 검정색 고물 승용차는 어둠 속에 갇혀 있는 한 마리의 짐승처럼 보였다.

순간 어디에선가 '흐흑, 흑'하고 나지막하지만 높은 톤의 외마디 소리가 단말마처럼 들려왔다. 여자 비명이거나 고양이 울음소리 같았다. 어느 쪽에서 나는 소리인지 방향을 종잡을 수 없었다. 오른쪽에 있는 고물상 입구 섀시 문은 쇠사슬로 단단히 얽힌 채 굵직한 열쇠로 채워져 있다. 공터에는 스무 대는 족히 넘을 승용차들이 여기저기 불규칙적으로 주차해져 있을 뿐이다.

그 소리가 다시 들렸다. 낮게 귀를 파고드는 소리는 여자의 흐느끼는 울음소리 같기도 하고 소리 낮춰 지르는 비명 같기도 했다. 일순간 공터의 왼쪽 모서리쯤에 있는 시커먼 차에서 희끗희끗한 그림자가 비치는 듯 했다. 불현듯 며칠 전 고물상 김 사장이 낄낄거리며 속삭였던 소리가 뇌리를 스쳐갔다.

형님, 요즘은 이 공터에서도 카섹스를 한대요. 며칠 전에도 밤에 리어카를 찾으러 왔던 박씨 노인이 봤답니다. 하긴 평범한 모텔보다 더 색다른 맛이 있는 모양이지요.

그의 승용차는 하필이면 그 치들의 승용차 근처에 있었다. 모르는 척 그의 차로 가서 시동을 걸고 떠날 수도 있었다. 그러나 발길이 떨어지지 않았다. 그 소리가 여자의 교성이라는 것을 알고 나자 서 있기도 부담스러웠다. 살짝 발소리를 죽여서 고물상 옆 탑차로 걸음을 옮겼다. 다시 소리가 들렸다. 이번에는 좀 더 높은 비명이었다. 차 안에서 나는 소리지만 깊은 밤 조용한 공터라 더 멀리 퍼지는 듯싶었다.

순간 묘한 생각들이 머리를 스쳤다. 왜 사람들은 섹스할 때 비명을 지르는 걸까. 그리고 특히 여자들은 왜 그렇게 소리를 크게 지르는 걸까. 그러다가 아내 생각이 났다. 섹스할 때 아내가 내는 소리가 귀에 환청처럼 들리는 것 같았다. 아내가 내는 소리는 지금 소리와는 달랐다. 아내는 마치 입을 앙다물고 고통을 참을 때 나는 비명처럼 소리를 질렀다. 그나마 신혼 초에는 그런 소리를 일체 내지 않았다. 아내가 소리를 내기 시작한 것은 결혼하고 나서 사오 년쯤 지난 후부터였다. 아이가 서너 살이 되어 굼실굼실 걸어 다닐 때였다. 아이가 작은방에서 잠이 든 것을 확인하고 나서도 아내는 반드시 안방 문손잡이에 붙은 잠금 쇠를 쿡 눌렀다. 그러고도 거실 쪽 동정에 신경을 썼다. 그러다 소리가 나면 손으로 스스로 입을 막기도 했다. 그래서 항상 고통을 참다가 마침내 견디지 못하고 내는 듯 낮은 비명을 질렀다.

탑차 문을 살며시 열고 안으로 들어갔다. 그 치들이 행위를 끝내고 차를 몰고 나갈 때까지 기다릴 참이었다. 탑차 안에서는 시너 냄새가 코를 찔렀다. 당연히 환풍기는 꺼져 있을 터였다. 안쪽에 잔뜩 쌓여 있는 깡통들의 잔영이 희뿌옇게 드러났다. 앞에 펼쳐 있는 간이침대에 몸을 기댔다. 밖에서는 아직 차 시동소리가 들리지 않는다. 섹스가 끝났으면 빨리 사라질 것이지, 저 치들은 차 안에서 아예 밤을 새울 작정인가 싶었다. 문을 살짝 열었다. 밤 찬바람이 스미듯 스르르 배어 들어 왔다. 저만치 카센터 앞 길가의 가로등 불빛이 희미하게 빛을 내고 있었다.

밤의 세계

어디선가 후드득하고 물 떨어지는 소리가 TV 소음을 뚫고 들려왔다. 갑작스럽게 비가 오나, 하고 거실 유리창 밖 하늘을 바라보았다. 어둠 속에는 이름을 알 수 없는 사철나무 몇 그루가 미동도 않고 서 있을 뿐이었다. 유리창 너머로 새 나간 어둠침침한 불빛으로 바깥 하늘을 살피기에는 어림도 없었지만 빗소리는 아니었다. 소리는 세면실에서 나는 것 같았다. 그때서야 그는 좀 전 가스레인지에서 펄펄 끓던 물통을 조심스레 세면실로 들고 가던 아내 모습이 떠올랐다. 그녀는 코크를 빨간색 표시가 있는 오른쪽으로 돌려서 누르기만 하면 나오는 온수를 쓰지 않고 가스레인지에 물을 끓여서 쓰기 시작한 것이 벌써 여러 달째였다. 그는 저렇게 해서 몇천 원이나 절약이 될까 싶었지만 차마 내색은 못하였다.

　큰아이는 컴퓨터 게임에 열중하고 있고 작은 아이는 소파에 누워서 잠이 들어 있다. 그는 먼저 작은아이를 안아 들고 안방에 뉘이고 이불을 덮어 줬다. 큰아이에게도 그만 잠을 자라고 하자, 아이는 신경질적으로 컴퓨터를 끄고 안방으로 들어갔다. 거실에 혼자 남게 되자 기분이 홀가분해졌다. 티브이에서도 9시 뉴스가 거의 끝나 스포츠 소식으로 넘어가는 참이다. 이제 아내만 잠이 들면 나머지 시간은 온전히 그의 몫이다. 요즘 그는 가족이 다 모인 저녁시간이 더 거북하다. 저녁 식사를 하고 나서 9시 뉴스가 시작될 때까지 아이들은 숙제나 책 읽기를 마치고 손발을 씻고 잠자리에 드는 것이 평상시의 습관이었다. 그것은 아내가 아이들을 길들인 방식이었다.

아내는 세면실 문을 열고 거실로 나왔다. 그녀는 어깨와 허벅지의 맨살이 그대로 드러난 속옷 차림이다. 그가 느끼기에 그녀의 허리는 아직도 잘록한 것 같았지만 아랫배는 유난히 도드라져 보였다. 아이 낳고 살다 보니 저렇게 변하고 말았구나, 라고 측은하게 생각되었지만 은근히 눈살이 찌푸려졌다. 그러면 나는 뭐 청춘인가, 그는 스스로에게 반문하듯 말없이 자신의 아랫배를 바라보았다. 잠옷에 감춰진 아랫배는 뱃살이 축 처진 중년의 남자를 분명히 증명하고 있다는 생각에 쓴웃음이 삼켜졌다. 수건으로 머리를 툭툭 털면서 거실로 나온 그녀는 신발장 위에 아무렇게나 쌓여 있던 우편물을 한 줌 챙겨 들고 그의 옆에 털썩 앉았다.

매매 계약서를 작성하기 위하여 부동산 할아버지와 아파트 입구를 들어섰을 때 수십 개가 나란히 붙어 있는 직사각형의 우편함이 맨 먼저 그를 반기는 것 같았다. 스텐으로 만들어진 우편함은 오후 햇살에 반사되어 반짝거렸다. 살고 있던 3층 연립주택에서는 눈에 띄지 않던 우편함이었다. 그럴 리가, 거기에도 입구에 6개가 나란히 붙어 있었지, 그는 그때서야 기억을 해냈다. 27평의 고층 아파트는 우편함부터 연립주택과는 다른가 라고 생각하며 혼자 웃었다.

크기는 작았지만 나란히 붙어 있던 우편함은 어렸을 적 지나칠 때마다 신기해서 한참씩 서서 바라보았던 공원 광장의 비둘기 집처럼 보였다. 앞으로 내게 오는 편지는 이것 중 어디 한 곳에 들어 있게 되겠구나라는 당연한 생각조차 갑자기 복권이라도 당첨된 듯 그는 가슴이 뿌듯하게 느껴졌다. 잔금을 치르고 열쇠를 넘겨받았을 때 우편함 열쇠는 없었다. 유독 그의 번지 우편함만이 잠겨 있다는 것을 알게 된 것은 입주하고 며칠이 지난 후였다. 열쇠를 좀 찾아 달라는 말에 관리인 아저씨는 '그냥 손가락으로 빼면 될 것이요' 라고 퉁명스럽게 말했다. 그리고 아저씨는 별것도 아닌 것을 가지고 사람 귀찮게 한다는 듯이 이상한 표정으로 바라보았다. 하긴 우편함 열쇠가 없어도 손가락을 넣거나 나무 조각으로 슬슬 긁어서 빼내면 그만이었다. 그러나 하찮은 장사라도 첫 번째 손님이 좋아야 그날 하루 매상이 좋다고 하지 않았던가. 그냥 지나치려다가도 한편으로는 기분이 찜찜하였다. 아닌게 아니라 며칠 후 그가 우편함에 손가락을 넣어 우편물을 꺼내다가 철제 뚜껑에 손등이 긁히고 말았다. 그가 얼굴을 찌푸리는 것을 바라보고 유치원에 다니는 둘째 아이가 고사리 같은 손을 넣어 우편물을 꺼냈다. 아이의 손은 뚜껑 사이의 틈으로 충분히 들어갔다. 그 일이 있은 후로 그 일은 아예 둘째 아이 몫이 되고 말았다. 아이는 우편물을 꺼내서 현관 신발장 위에 올려놓는 일을 재미있어 했다. 아이는 밖에 나갔다 오는 길이면 하루에 몇 번이라도 우편함을 들여다보았다.

애초에 우편물은 별것이 없었다. 편지를 주고받을 만한 친구들이 있는 것도 아니어서 우편물이라고는 그저 전화세나 세금 고지서, 신용카드나 백화점 매출표라든지 주로 그런 것들이었다. 그런데 웬일인지 회사를 그만둔 후로 우편물은 더 늘어났다. 아파트 대출금이나 적금, 보험료, 자동차 세, 심지어는 주차 위반 벌금조차 제 날짜에 내지 못하자 독촉하는 우편물까지 덤으로 껴 붙은 것이었다. 그는 웬 우편물인가 싶어 처음에는 꼬박꼬박 뜯어 보았지만 그것들이 다 연체된 것 납부해 달라는 고지서라는 것을 알고 난 후로는 아예 손도 대지 않았다. 하지만 아이는 여전히 우편물을 신발장 위에 열심히 갖다가 날랐다. 그가 손을 대지 않아 우편물이 신발장 위에 잔뜩 쌓이자 어느 날부턴가는 보다 못한 아내가 정리하기 시작했다. 그녀는 그에게 오는 각종 연체 고지서나 독촉장은 뜯어보지도 않고 그의 책상에다 쌓아 놓았다. 그러나 그는 그것들을 휴지통에 한꺼번에 집어넣어 버렸다. 그렇지만 우편물이 아내의 시선을 한 번 씩은 거쳤을 것이라고 생각하면 그는 가슴이 저려왔다. 오늘도 신발장 위에 우편물이 잔뜩 어지러이 쌓여 있었다.

아내의 젖은 몸이 슬쩍 그의 어깨에 닿았다. 그는 흠칫 놀라 어깨를 움츠렸다. 아니, 움츠렸다는 것은 마음뿐이었다. 실재의 그는 태연히 앉아 있었다. 그는 충분히 그렇게 할 수 있었다. 평소에 그는 마치 몸과 마음이 별개인 것처럼 자유자재로 조종할 수 있다고 자신하고 있었다. 그는 아무리 예기치 못한 상황이 발행한다고 하더라도 얼굴색이 변한다거나 당황해 하는 사람은 불완전한 인간이라고 생각하고 있었다. 중학교 시절 걸핏하면 잘 때리는 선생이 있었다. 사소한 일에도 화를 잘 내던 선생이었다. 성격도 거칠어 한 번씩 매를 들면 몇십 대씩 때렸다. 아이들은 매를 적게 맞으려고 일부러 아픈 척 엄살을 부렸다. 그는 그것은 비굴한 행동이라고 생각하였다. 그도 매를 맞은 적이 있었다. 아팠지만 그는 전혀 내색을 하지 않고 뻣뻣이 서서 맞았다. 선생은 흥분하여 더 세게 때렸다. 그럴수록 그는 더욱 더 미동도 않고 끝까지 참아 냈다. 결국 엉덩이가 터져서 피가 바지까지 배어 나오도록 맞았지만 그는 얼굴색 하나 변하지 않고 견뎌 냈다. 그리고 통쾌함을 느꼈다. 그는 인간이라면 그래야 된다고 생각하고 있었다. 역사상의 위대한 인물이 다 그런 과정을 거쳐서 완전한 인간의 경지까지 도달한 것이라고 믿었다.

그는 그녀가 눈치채지 못하도록 시선을 티브이 화면에 고정한 채 옆으로 천천히 옮겨 앉았다. 긴장감으로 아내가 앉아 있는 왼쪽 편 얼굴 근육이 저려 왔다. 몇년 전 아내와 심하게 다투고 난 후 그런 증상이 한 번 나타난 적이 있었다. 최근에 그 증상이 다시 나타나기 시작했다. 이번에는 더구나 어처구니없는 상상과 합쳐져서 나타났다. 그 상상은 아내가 그의 등 뒤에 있을 때 충동적으로 떠올랐다. 아내로부터 나무 의자나 가방 혹은 프라이팬 같은 물건으로 뒤통수를 맞거나 다리를 냅다 걷어차이는 그런 내용이었다. 심지어는 커다란 망치에 뒤통수를 얻어맞은 적도 있었다. 망치는 자질구레한 집안일 때문에 항상 현관 옆 선반 연장 통에 비치해두고 있었다. 그가 깜짝 놀라 뒤를 돌아보면 아내는 자기 일에 열중하고 있을 뿐이었다. 그녀는 잔소리는 가끔씩 하는 편이었지만 그에게 순종하는 착한 여자였다. 그가 작년 회사를 그만 두었을 때 그녀는 평소에 잘 하지도 않던 선물도 사오면서 위로를 해 주기도 했다. 그리고 최근에는 한 푼이라도 생활비에 보태겠다며 결혼하면서 그만두었던 병원에 파트타임 간호사로 출근하기 시작했다.

아내는 우편물 중 하나를 꺼내 보더니 갑자기 안색이 변했다. 전화 통화 요금 고지서였다. 요금은 자그마치 14만 7천 원이나 되었다. 한 달 전화 요금이 15만 원이라니…, 그도 기가 막혔다. 통화 내역을 자세히 살펴보니 PC통신 사용료가 대부분이었다. 그것은 알아보나마나 컴퓨터 게임에 한창 빠져 있는 큰아이 짓이 분명했다. 작년에도 전화 요금이 13만 원인가 나와서 아내가 아이에게 무섭게 야단을 쳤던 적이 있었다.

"그러니까 내가 뭐라고 했어요. 아예 컴퓨터에서 모뎀을 빼 버리자고 했잖아요. 그런데 당신은 그렇게 하겠다는 말만 하고…, 지금 형편에 15만 원이면 어떤 돈인 줄 알아요. 아이들 두 달 학원비예요. 이놈을 그냥…"

그녀는 기가 막히는지 씩씩거리며 짜증을 냈다. 안방에서 잠들어 있던 큰아이를 깨워서 당장이라도 야단을 칠 기세였다. 그는 불똥이 자기에게 튀지 않도록 아무 대꾸도 않고 티브이 화면만 응시하였다. 큰아이에게 컴퓨터 통신을 가르치기 시작한 사람은 그였다. 덩치만 크지 운동신경도 둔하고 말도 어눌한 아이를 보면서 그는 은근히 걱정이 되었다. 애들은 제 밥그릇을 갖고 태어난다는 옛말도 있지만 그런 말은 요즈음 같은 경쟁 사회에서는 들어맞지 않는다고 그는 생각하고 있었다. 다른 공부는 못해도 컴퓨터 하나만이라도 잘 다루면 장차 먹고사는 데는 지장이 없을 것이라고 생각했다. 마침 아이도 컴퓨터에 제법 재미를 붙였다. 그러다가 이제는 누구도 말릴 수 없는 컴퓨터광이 되어 버렸다. 밖에서 급한 연락 때문에 집에 전화를 걸어 보면 통화 중일 때가 많았다. 처음에는 아내가 전화를 길게도 하는구나, 라고 생각하였다. 그러나 나중에 알아보니 아이의 컴퓨터 통신 때문이었다. 처음에는 전화 요금이 육칠만 원 정도 나왔다. 그가 회사를 그만두기 전까지는 그다지 돈에 궁핍함을 느끼지 않았기 때문에 그것 참, 전화 요금이 꽤나 나오네, 라고 약간 부담스럽게 생각했을 뿐이었다. 그러나 한편으로는 아이가 대견스럽다는 생각이 들기도 했다. 그런데 설상가상이라고 작년 이맘때 쯤 그가 회사를 그만두었을 때 하필이면 전화 요금이 처음으로 십만 원이 넘게 나왔다. 아이가 컴퓨터 게임 프로그램을 다운받느라고 유료 사이트 출입을 많이 한 것이었다. 그날 부부 싸움을 대판하고 말았다.

티브이에서는 금테 안경을 쓴 사람이 실업자 대책이 어떻고 하면서 이야기하고 있었다. 그는 얼른 리모컨을 눌러 다른 채널로 돌렸다. 농구 중계였다. 웬 흑인 선수가 한국 선수들 사이에 끼어서 경기를 하고 있었다. 관중석에는 여자아이들이 손을 흔들며 악을 쓰고 있었다. 그는 빨리 화제가 다른 것으로 넘어가길 바랐다. 그렇지만 화살은 결국 그에게도 떨어지고 말았다.

"당신도 채널을 이리저리 돌리지 말고 좀 진득하게 봐요, 볼 것 없으면 잠이나 자든지, 그렇게 밤새워 티브이나 보다가 늦잠을 자니까 아침에 애들은 학교 갈 준비하느라고 바쁘게 움직이는데도 이불 속에 누워나 있고… 회사 안 다니면 일찍 일어나기라도 해야지. 어쨌든 내일은 컴퓨터 모뎀 좀 꼭 빼 놔요. 나 먼저 잘 테니까."

아내는 전화 요금 통지서를 바닥에 탁하고 던지더니 방으로 들어갔다. 그는 가슴이 답답해지면서 담배 생각이 간절해졌다. 뒤 베란다에서 담배와 재떨이를 가지고 거실로 나왔다. 담배에 불을 붙였다. 연기를 가득 삼켰다가 길게 허공에 내뿜었다. 비로소 긴장이 풀렸다. 아이들이 모두 있는 낮 시간에 거실에서 담배 피는 것은 꿈에도 생각 못할 일이다.

뒤 베란다에는 세탁기와 보일러가 있다. 처음 이사 와서 세제나 가루비누를 올려놓기 위해 뒤 베란다 유리창 밑에 조그마한 선반을 붙여 놨다. 그리고 선반 한쪽에 담배와 재떨이와 라이터를 두었다. 그러자 자연스럽게 그 곳이 흡연실이 되었다. 물론 뒤 베란다에서 창밖을 바라보면서 혼자 피는 담배는 그야말로 무미건조한 흡연 행위일 뿐이다. 그곳에서 담배 피는 것은 음식으로 따진다면 부엌에 서서 양푼에 밥이랑 반찬을 한꺼번에 비벼서 우걱우걱 먹는 행위와 같다. 그것은 식사가 아니라 배고픔을 해결하기 위한 동물적인 본능에 불과하다. 그것은 분위기 있는 식당에서 친구들과 담소하면서 먹는 음식과는 질적으로 다르다. 흡연도 마찬가지다. 뒤 베란다는 항상 물소리로 시끄럽다. 위층의 세탁기에서 나오는 물이 통을 타고 흘러내리는 소리이다. 위층에 사는 어떤 사람들은 한밤중에도 세탁기를 돌린다. 도시 생활이라 워낙 시간이 변변하지 못하기 때문일 것이라는 것은 그도 안다. 혼자 사는 사람도 있고 부부 맞벌이도 있으니 당연하다고 그는 이해하고 있다. 하지만 물소리를 듣고 있으면 우중충한 느낌이 머릿속에서 가시지 않는 것을 어쩔 수는 없다. 또한 겨울철에는 덜덜 떨면서 담배를 피어야 한다. 아파트 뒤쪽은 북향이라 춥다. 유리창을 조금만 열어 놔도 찬바람이 세게 들어온다. 그래서 그는 담배를 연속으로 빨아대듯이 급히 피우고는 달리듯 거실로 들어와 담요를 뒤집어썼다.

혹시라도 그런 그의 모습을 보게 되면 아내는 쯧쯧 하고 혀를 찼다.

거실에 혼자 남게 되면 담배를 마음껏 필 수가 있다. 방으로 아내가 들어가면 그는 가스레인지에 물을 올려놓는다. 그리고 오른손엔 커피를 한 잔 들고 입에는 담배를 붙여 물고 거실 티브이 앞에 앉아 있으면 그는 부자라도 된 듯이 가슴이 뿌듯했다. 하지만 드문 경우지만 아내가 잠에서 깨어 거실로 나올 경우도 있었다. 그럴 때면 냄새 때문에 이미 어쩔 수는 없지만 재빨리 담배 피던 흔적을 감추어야 한다. 아내의 눈에 띄지 않도록 재떨이를 잘 감춰 놓으면 변명할 여지라도 있다. 그래서 거실에서 담배를 피우는 동안에도 그는 방문 쪽으로 신경을 곤두세우고 있다.

아이들과 아내가 잠든 후 거실은 그만의 공간이다. 밖에는 밤늦게 귀가하는 사람의 종종거리는 발소리나 엘리베이터 문 여닫는 소리만이 간간이 들릴 뿐이다. 베란다 유리창으로 내려다보이는 앞마당은 마치 자동차 전시장을 방불하게 한다. 마치 낮 동안의 운행으로 고단한 동체를 쉬고 있는 자동차들의 숙소라는 생각이 든다. 어쩌다 늦게 귀가하는 차는 헤드라이트를 밝힌 채 빈자리를 찾아내려고 천천히 이동을 한다. 그러다 빈자리를 찾아내서 신기하게도 맞춘 것처럼 차를 잘 끼워 넣는다. 주차장을 한 바퀴 빙 돌고도 적당한 장소를 찾아내지 못하면 자동차는 아쉽게도 아파트 뒤쪽이거나 아니면 단지 밖으로 되돌아 나간다. 창 너머로 그런 모습을 바라보고 있노라면 마치 한 편의 무성영화를 보는 듯하다.

그는 연속 드라마는 물론이고 밤늦도록 방영되는 티브이 영화도 모두 다 보았다. 정규 방송이 끝나면 영화만 밤새 틀어 주는 유선방송

에 채널을 돌렸다. 유선방송은 화질이 약간 떨어지지만 계속 보고 있
노라면 금방 적응이 되어 아무렇지도 않았다. 대개는 한 번 보고 나면
금세 잊는 시시껄렁한 영화였지만 가끔은 횡재했다 싶은 좋은 영화가
방영될 때도 있었다. 그럴 때면 그는 졸다가도 정신이 번쩍 들었다.
영화를 보다가 배가 고파지면 라면이나 커피도 끓여먹고 계란프라이
를 해 먹거나 식은 밥을 비벼서 먹기도 했다. 냄비에 물을 넣고 가스
레인지에 올려서 라면을 끓이거나 프라이팬에 계란을 부치느라 거실
과 부엌을 오가다 보면 그는 마치 자신이 동물원 우리 안에 갇혀 있는
야생 짐승과 비슷하다는 생각이 들 때도 있었다. 그는 자신이 동물로
빗댄다면 곰이나 그런 비슷한 동물일 것이라고 생각을 했다. 가끔은
낮 동안의 일과가 생각날 때도 있었다. 요즘 낮 시간은 그에게는 괴로
운 시간이었다. 이력서를 챙겨서 회사를 찾아다니는 일이 주된 일과
였다. 딱히 취직이 되리라는 기대를 갖고 다닌 것도 아니었다. 하지만
그것 외에는 달리 할 일도 없었다. 내일은 공단에 있는 중소기업 몇
군데를 다녀 볼 계획이었다. 그런 것들을 생각하면 가슴이 답답했다.
TV를 보는 동안은 아무런 고민을 할 필요가 없으니까 좋았다. 그래서
그는 하루 중에서 제일 기다려지는 시간이 모두들 잠든 늦은 밤이었
다. 거실에서 혼자 있는 것이 가장 즐거웠다.

　회사를 그만둔 뒤로 그는 불면 증세가 생겼다. 자정이 지나고 새벽
이 가까워지도록 잠이 오지 않아 몸부림을 쳤다. 한밤중에 운동복을
걸치고 아파트 단지 앞 학교 운동장을 몇 바퀴나 돌았다. 혹은 24시간
문을 여는 슈퍼에 가서 처음에는 캔 맥주, 나중에는 소주를 사서 취하
도록 마셔 보기도 했다. 그러다가 생각해 낸 것이 새벽까지 여는 비디

오 대여점이었다. 아파트 단지 앞에는 자정을 넘겨서 불이 켜진 곳은 딱 두 군데였다. 하나는 24시 슈퍼였고 나머지 한 군데가 비디오 대여점이었다. 자정을 넘겨서 비디오 대여점을 들어서려면 기분이 야릇했다. 개인의 치부를 드러내는 부끄러움 같은 것이라고나 할까, 아무튼 그런 종류였다.

결혼한 지 십 년이 넘어가지만 서투른 것이 딱 하나 있었다. 그것은 약국에 들어가서 콘돔을 사는 일이었다. 신혼 초 아내가 피임약을 먹었다가 허리가 아프다고 한 뒤로는 그가 콘돔으로 피임을 해 왔다. 어떻게 남자가 콘돔을 끼느냐고 친구들이 비웃을 때도 있었지만 그는 차라리 그것이 편했다. 콘돔을 사러 약국에 들어갈 때 거북하다고 느낀 것 외에는 불편한 점이 없었다. 콘돔이 떨어져서 다시 구입하는 일은 그에게는 일종의 중요한 행사였다. 남자 약사가 혼자 있는 곳, 그리고 손님이 뜸한 시간인 밤 9시경을 절묘하게 맞춰야 했기 때문이었다. 그날은 일이 일찍 끝났더라도 밤 9시까지 시간을 때우기 위하여 다른 일정을 짜야 했다. 예를 들자면 목욕탕에 가서 사우나를 한다거나 이발소에 가서 아직은 손을 대지 않아도 될 만한 머리를 깎는다거나 일찍 귀가하려고 서두르는 동료 직원을 꾀어 바둑을 둔다거나 하면서 시간을 때워야 했다. 그래서 시간이 되면 그때부터는 길가 약국을 주의 깊게 살피면서 서서히 운전을 해서 집으로 왔다. 대개의 약국은 여자들이 약사였기 때문에 남자들이 앉아 있는 곳을 찾기가 쉽지 않았다. 마침 남자가 하얀 가운을 입고 서 있어 차를 멈추려고 하면 조제실이라고 씌어져 있는 곳에서 여자가 불쑥 튀어나올 때도 있어 다시 차를 운행한 적도 있었다. 그리고 한 번 구입했던 약국은 다시

가지 않는 것이 일종의 불문율이었다. 그 약사 얼굴을 다시 보는 것도 그렇고, 마치 약사에게 부부 관계의 횟수를 들킨 것처럼 어색했기 때문이었다. 운이 좋으면 조건에 맞는 약국을 바로 찾기도 했다. 하지만 집에 도착할 때까지 약국을 찾지 못해서 그날은 포기하고 다음 날로 미룰 수밖에 없었던 적도 있었다. 그런 날은 참 재수가 없는 날이었다. 미룬 다음 날은 공교롭게도 회사에서 회식이나 동창회 같은 모임이 있기가 일쑤였다. 그리고 그 다음 날도 또 그 다음 날도 다른 일이……, 그러다 보면 열흘 후쯤이나 어떻게 해서 간신히 사들고 가기가 십상이었다.

자정을 넘겨서 처음 찾아간 비디오 대여점에는 젊은 여자가 앉아 있었다. 유리문을 열고 입구에 들어서서 여자와 눈이 딱 마주치자 그는 당황하고 말았다. 마치 콘돔을 사려고 약국에 들어섰다가 여자 약사를 만난 느낌이었다. 그는 재빨리 입구에 가까운 진열대로 시선을 돌려서 이것저것 테이프를 구경하는 척하였다. 여자는 무척이나 졸린지 손으로 입을 가리면서 연신 하품을 하였다. 그리고 '아저씨, 최신 테이프는 이쪽이에요.'라고 중간에 있던 진열대를 가리켰다. 그때서야 그는 비로소 가게 안을 둘러볼 수가 있었다. 입구 쪽은 어린이용 만화영화나 교양 프로들이 진열되어 있었고 가운데 칸이 영화로 치자면 개봉 영화라고 할 수 있는 신간 코너였다. 인기 있는 것은 이삼십 개씩 비치해 두고 있었다. 이미 대여해 버린 테이프는 껍질을 뒤집어 놓아서 쉽게 구분을 할 수 있었다. 밤늦은 시간에 가면 인기 있는 테이프는 이삼십 개 모두 다 뒤집어져 있기가 일쑤였다. 그리고 제일 안쪽이 말하자면 성인용 코너였다. 처음 보는 얼굴의 한국 여자 배우들이 거의 벗은 차림으로 이상야릇한 포즈를 취하고 있었다. 얼핏 제목만 보아도 내용을 짐작할 수 있는 그런 것들이 대부분이었다.

그날 그는 두 개를 빌려 왔다. 둘 다 몇 년 전에 극장에서 상영을 했던 영화였다. 마음 같아서는 하나는 안쪽에 있던 여자들이 야하게 포즈를 잡고 있는 성인용 비디오로 가져오고 싶었다. 하지만 계산대의 주인 여자가 신경에 걸려서 무난한 테이프를 선택하고야 말았다. 하나는 그날, 나머지 하나는 다음 날 볼 요량으로 두 개를 빌렸다. 그러나 그날 밤 그는 두 개를 다 보고 말았다. 하나를 다 보고서도 잠이 오지 않았기 때문이었다. 두 개를 다 보고 나니 새벽 4시쯤 되었다. 비로소 눈자위가 부석부석하니 제대로 잠이 올 것 같았다. 그날 그는 아내가 깰 때까지 잠에 곯아떨어질 수가 있었다. 다음 날 밤 대여점 계산대에는 남자가 앉아 있었다. 전날 여자와는 부부인 것 같았다. 남자는 묻지도 않았는데 친절하게도 이것저것 설명을 해 주었다. 그날은 그가 마음먹은 대로 하나는 액션물 또 하나는 남자가 에로물이라고 지칭했던 성인용 테이프로 빌려 왔다. 그 후로 그는 이삼 일이 멀다 하고 그 가게를 출입하기 시작했다. 차츰 서로 얼굴이 익어지자 그가 들어서면 남자는 액션물과 에로물을 각각 한 개씩 추천해 주었다. 그리고 한동안 그 곳은 그의 단골집이 되었다. 그러다가 몇 달 전 아파트에 유선방송이라는 것이 설치가 되면서 비디오 가게는 발을 끊었다. 한 개에 천 원씩 주고 빌리는 비디오테이프였지만 아무래도 아내의 눈치가 보였기 때문이었다.

부부가 각각 다른 방에서 별거하는 것을 흔히 각방을 쓴다고 표현한다던가. 처음에는 먼저 결혼을 했던 선배들이 농담처럼 그런 이야기를 하면 겨우 단칸방에서 신혼살림을 하던 시절, 부부가 따로 지낼 방이 두 개나 있다는 호사한 자랑처럼 들릴 때도 있었다. 또 한 번은 여자가 바람을 피워 결국은 파국이 났던 회사의 동료가 이혼하기 전에 아내와 각방을 썼다는 소문이 회사 내에 파다하게 퍼졌을 때였다. 그때 그는 각방이라는 말이 마치 어떤 형체가 있는 물체처럼 느껴졌다. 그래서 결혼한 부부들은 집안에 각방이라는 아주 중요한 물건이 있어서 굉장히 조심스럽게 다뤄야 하는 것처럼 여겨지기도 했다. 하지만 그에게 각방은 우연히 찾아들었다. 그날도 TV를 늦게까지 보던 그는 부스럭거리면서 잠을 자러 안방으로 들어가려고 생각하니 갑자기 곤히 자고 있을 아내에게 미안하다는 생각이 들었다. 그래서 그는 작은방 큰아이가 혼자 자던 이불 속으로 파고들고 말았다. 아이는 아빠와 함께 자기가 불편했는지 아침에 깨서 뭐라고 구시렁대더니 다음 날 밤에는 아예 큰방 제 엄마 곁으로 건너가 버렸다. 그렇게 각방은 시작되었다.

며칠 전 새벽이었다. 세 시쯤 되었을 것이다. 잠을 자려고 불을 끄고 누웠을 때 안방 문 여는 소리가 들렸다. 약간 묵중한 발소리로 보아 아내였다. 그리고 한동안 조용하였다. 그는 그녀가 웬일인가 싶었다. 병원에서 아직 파트타임 임시직이라 정식 간호사 비번이 생기면 아무 때나 출근했지만 대개는 오후 시간대에 근무하였다. 그러면 점심시간부터 근무를 시작해서 8시가 되면 퇴근해 집에 도착하면 저녁 9시가 되었다. 그래서 집에 오면 TV 뉴스를 보고는 하루 내 서 있어서 피곤하다며 밤 열 시쯤이면 아이들과 함께 잠자리에 들었다. 그리고 한 번 잠자리에 들면 새벽에 잠이 깨는 일은 좀체 없었다.

그날은 의외였다. 그녀가 거실로 나온 지 십여 분이나 흘렀을까. 그가 누워 있는 작은방 문이 소리 없이 열렸다. 거실의 형광등 불빛이 새어 들어왔다. 그는 눈을 꼭 감고 숨을 고르게 쉬었다. 그녀는 한참을 서 있었다. 잠시 있다가 그녀가 내뱉는 한숨 소리가 들렸다. 그리고는 다시 문이 닫혔다. 다시 시간이 흘렀다. 그녀는 거실에서 무엇을 하는지 간간이 부스럭거리는 소리가 들렸다. 그러더니 이번에는 무슨 악기 소리 같은 것이 들렸다. 그는 처음에는 아이들이 가지고 다니던 학교 앞 문방구에서 팔던 플라스틱 피리나 멜로디언 소리인 줄 알았다. 그는 왜 그녀가 이 밤중에 악기를 부는지 알 수가 없었다. 문방구에서 피리나 멜로디언을 사 온 첫날은 아이들이 신나게 불어댔다. 하지만 며칠만 지나면 그것들은 거실 카펫 위에서 굴러다녔다. 피리는 중간에 동강이 나서 그가 접착제로 붙여 준 적도 있었다. 접착제로 붙인 피리는 예전처럼 소리가 나지 않았다. '미', '파'가 소리가 나지 않았고 높은 '도'는 마치 목이 쉰 사람이 내는 소리처럼 바람 소리만 들렸다. 그 소리는 금방 멈췄다. 그제야 그 소리의 정체를 알 수가 있었다. 그것은 그녀가 낮게 흐느끼는 울음소리였다.

그는 잠이 완전히 가시고 말았다. 그러고도 꽤 시간이 흘렀다. 그녀가 다시 안방으로 들어가는지 문 닫는 소리가 들렸다. 한참 동안 꼼짝을 할 수가 없었다. 마침 스르륵하니 현관문 밑 우유 들어오는 구멍으로 신문 끼워 넣는 소리가 들렸다. 벌써 새벽 4시 반인 모양이다. 신문은 어김없이 그 시간에 들어왔다. 그가 소파에서 TV 영화를 보다가 잠이 들어 버린 적이 있었다. 웬 소리에 잠이 깨서 시간을 보니까 새벽 4시 반이었다. 그때 구멍으로 들어오던 신문이 현관에 세워져 있던 우산을 건드려 넘어지면서 제법 큰 소리가 났었다. 그는 그대로 한참을 누워 있었다. 잠은 가셔서 눈이 말똥말똥했다. 그는 아내가 다시 잠이 들 만한 시간을 가늠해 보았다. 삼십 분이면 충분하리라 생각되었다. 그는 소리가 나지 않도록 방문을 천천히 돌려 열었다. 거실 전기 스위치를 살짝 올렸다. 티브이는 꺼져 있고 소파와 탁자, 거실은 별다른 변화가 없었다. 그는 현관에서 신문을 들어서 탁자 위에 놓았다. 탁자 위에 빨간색 표지의 작은 수첩이 놓여 있었다. 아내가 가계부로 쓰는 수첩이었다. 그 수첩은 아내가 가방에 넣고 다니던 것이었다. 그는 신문을 펴 들었다. 하지만 그의 눈에는 신문 기사가 들어오지 않았다.

시계는 밤 열한 시가 넘어가고 있었다. 담배를 피우느라 열어 놓은 유리문으로 찬바람이 들어왔다. 오싹 한기가 느껴졌다. 그는 방에서 얇은 이불을 꺼내 덮고 소파에 길게 누워서 다시 리모컨을 돌렸다. 토론 프로가 끝나고 영화가 시작되고 있었다. 일전에 이미 비디오로 보았던 영화였다. 너무 유치해서 도중에 꺼 버렸던 SF영화였다. 다시 여기 저기 리모컨을 눌러 보았다. 오늘은 재수가 없는 날이다. 비디오 가게가 생각이 났다. 오늘 밤은 포기하고 일찍 잠이나 자 버릴까, 라는 생각도 들었다. 그렇지만 잠들기에는 너무 이른 시간이었다. 일찍 잠자리에 드는 날이면 그는 잠을 깊이 들지 못했다. 잠깐 잠이 들었다가도 금방 깨고 말았다. 그러면 다시 잠이 들 때까지 불 꺼진 방에서 멍하니 누워 있어야 했다. 그러다가 다시 잠이 들었다가 또다시 깨고, 그러기를 반복하다 보면 아침이 되기가 일쑤였다. 그런 날은 하루 내 머리가 띵했다.

일찍 누워 있으면 잠도 잠이지만 온갖 상념이 떠올라 심사를 괴롭혔다. 시끄러운 낮에는 들리지도 않던 갖가지 소음들이 마치 환청처럼 귓결을 파고들었다. 언젠가는 마치 작은 짐승이 벽을 타고 오르는 것 같은 '드륵'거리는 소리가 규칙적으로 들린 적이 있었다. '주루루 주루루' 하면서 들리는 소리는 통을 타고 위층에서 내려오는 물소리이고 '휘잉 휘잉' 소리는 세탁기 돌아가는 소리다. 처음에는 엘리베이터가 있는 통로나 옆집에서 나는 소리인 줄 알았다. 숨을 죽여서 소리가 나는 방향을 가늠해 보니 베란다 뒤쪽 벽 같았다. 혹시 뒷벽이라면…, 살펴보려고 문을 열었더니 보일러에 불이 붙는 소리였다. 이 시간에 보일러라니, 아내는 밤에는 초저녁에 한 번, 이른 아침에 한 번 그렇게 두 번 보일러를 가동시키지 않았던가. 그녀는 날씨가 추워지면서 보일러 가동 시간을 늘려 놓았던 모양이었다. 그동안에는 왜 그 소리를 못 들었을까, 라고 그는 고개를 갸웃거렸다.

오늘 밤은 머리가 묵직하니 아파 온다. 환청도 들리는 것 같다. 양미간이 마치 바늘로 찌르듯 콕콕 쑤셔 온다. 이번에는 재깍재깍하고 마치 시계태엽 돌아가는 듯한 소리가 들린다. 그 소리는 일정한 간격을 두고 주기적으로 들려온다. 소리가 멈추는 그 사이, 바람이 세게 부는 듯한 소리가 들린다. 풍선에 바람이 빠질 때 나는 소리 같기도 하다. 흡사 관자놀이가 부풀어 올랐다가 수그러들고 그러기를 반복하면서 울리는 소리 같다. 가만히 들어보면 한숨 쉬는 소리처럼 느껴지기도 한다. 불현듯 며칠 전 방문을 열고 서서 내려보던 아내의 모습이 떠오른다. 그녀가 내뱉던 한숨 소리가 귓전에 들리는 듯하다. 그는 머리가 아플 때 늘 하던 것처럼 엄지손가락으로 관자놀이를 세게 눌러

본다. 하지만 그 소리는 멈추질 않는다. 그는 눈을 꼭 감고 손가락에 더욱 힘을 준다. 시끄러운 소음들이 사라지며 차츰 조용해진다. 시원한 바람이 스치고 지나기라도 한 듯 머리도 상쾌하다. 그는 깜박 잠이 들었다.

그는 캄캄한 밤 울창한 숲속을 걸어가고 있다. 키 큰 나무들로 하늘은 가려져서 칠흑처럼 어둡기만 하다. 숲으로 난 길은 끝이 아스라하다. 숲은 아름드리나무와 사람 키 높이만 한 잡풀들로 빽빽하다. 금방이라도 무엇인가 튀어나올 것 같다. 갑자기 앞에서 커다란 나무가 한 그루 넘어져서 길을 막는다. 그는 재빨리 뒤로 돌아서 달려간다. 뒤에서도 나무가 한 그루 넘어져서 길을 막는다. 다른 나무가 또 쓰러진다. 옆의 나무들도 쓰러진다. 나무들은 자꾸자꾸 쓰러져 쌓인다. 쓰러진 나무들은 어느새 벽처럼 견고하게 사방을 에워싸고 있다. 그는 이제 나무의 벽에 갇혀 버렸다. 쓰러진 나무에서 가지들이 움직이기 시작한다. 수십 수백 갈래의 가지들이 마치 살아 있는 것처럼 그에게 다가온다. 그는 손을 내저으며 피한다. 허공을 저으며 피하는 그의 손에 나뭇가지들이 걸린다. 화들짝 놀라 손을 뿌리치지만 쉽게 떨어지지 않는다. 손 위에 걸린 것은 나뭇가지가 아니라 수십 가닥의 하얀 천 조각이다. 어느새 가지들은 갈래갈래 찢겨진 천으로 변해 있다. 하얀 천 조각들은 허공에서 바람에 휘날린다. 천 조각은 동심원을 그리다가 이내 둥근 공처럼 뭉친다. 공은 차츰 커진다. 커진 공은 길쭉한 타원형의 물체로 변한다. 물체는 그에게 가까이 날아온다. 그것은 마치 붕대를 칭칭 감은 미라 형상이다. 그 물체가 갑자기 그의 품으로 파고든다. 그는 소스라치게 놀라서 물체를 밀어낸다. 그 물체는 밀어낼수록 더욱 집요하게 파고든다. 그는 정신이 번쩍 들어 눈을 뜬다. 무슨 소리도 들린다.

창밖이 희뿌옇다. 새벽이다. 이불 속, 그의 옆에 웬 여인이 누워 있다. 여인의 팔은 그의 몸을 두르고 있다. 여인의 얼굴은 그의 가슴에 묻혀 있다. 그는 아직도 꿈을 꾸고 있는가 싶었다. 그의 가슴으로 밀착해 들어오는 방싯한 젖가슴의 느낌과 통통한 살집의 어깨 촉감이 어디선가 낯이 익은 여인이다. 잘 익은 복숭아에서 풍기는 단내 같은 살 내음이 여인의 목덜미에서 후욱 하고 맡아졌다.

아내였다.

그는 팔을 가득 벌려서 그녀를 꼬옥 껴안았다.

사
이
렌

소
리

1.

　"어이 뚜껑, 차 한 마리 들어오네, 슬슬 나와 보소"

　항상 잠이 없어 터미널 근처 여기저기를 돌아다니며 설쳐대는 홀아비 김씨가 버스가 들어올 만하면 차 안에서 조는 태주에게 알려 준다고 외치는 소리였다. 동서울에서 오는 버스가 도착한 것이 방금인 것처럼 느껴졌는데 그사이에 잠깐 잠이 들었던 모양이다. 시트에 깊숙이 묻혀 있던 태주는 몸이 물먹은 솜처럼 무겁게만 느껴졌다. 깜박거리는 전자시계는 새벽 2시 30분을 알려 주고 있었다.

　"에이 씨팔, 이 짓은 이제 그만둬야지…"

　태주는 문을 닫고 나오다가 자신의 음성이 고장 난 엔진 소리처럼 탁한 상태로 들린다는 것을 깨닫고 감기가 붙으려나 생각했다. 공중전화 부스에는 어린 계집아이들이 껌을 질겅질겅 씹으며 전화통을 붙잡고 있었다. 저런 애들은 택시비도 없어, 영계라고 잘못 건들었다간

은팔찌만 차기 십상이지, 태주는 머릿속으로 잽싸게 통박을 돌렸다.

"대가리에 피도 안 마른 가시내들이 밤낮없이 싸돌아다니니…" 태주는 여자아이들이 들으라는 듯이 일부러 소리를 크게 질렀다.

새벽바람은 제법 차가웠다. 재빠른 치들은 이미 버스가 주차할 만한 데를 짐작하고 담배에 불을 붙이며 서성거리고 있었다. 태주가 가까이 가자 김씨가 슬그머니 다가와서 말을 붙였다.

"어이, 태주. 자네 아까 목포 한탕 제대로 해묵었제, 얼마 벌었는가? 손님 네 명 꽉 채워갖고 가드만."

"아따! 형님 별 것 없었어라. 나주 동신대에서 둘이는 내려 불고, 올라올 때 한 명밖에 못 태웠단 말이요. 목포 터미날에서 손님 받을라고 기다리면서 짠쟁이들하고 고돌이 치다가 한 삼만 원 퍼 불어 결국 앞으로 남고 뒤로 밑져 불었지라." 태주는 눈을 휘둥그렇게 뜨고 얼굴을 흔들면서 엄살을 피웠다.

"근디, 아까, 나 잠 좀 자라고 냅 둬 불제, 귀찮게 왜 자꾸 깨워쌌소. 아무리 홀애비라고 형님은 아직도 그렇게 밤잠이 없소! 펄펄 날아댕기는 것이 근력이 남아도는 모양이요. 언제 저기 한번 갑시다. 엊그저께 개업했다고 인사장 돌리던 똘마니들한테 물어본께, 요즘 시내 술집에 경기가 안 좋아 좍좍 빠진 가시내들이 다 그리 몰린답디다. 돈 십만 원 가지고 가면 안마에다가 시원하게 서비스까지 한탕 받고 나올 수 있다고 그럽디다. 거기 가서 양기를 좀 빼 드려야겠소, 어디 형님 등살에 살아남겠소." 태주는 빨간색 불빛의 '안마'라는 글자와 파란색 불빛의 '시술소' 라는 글자가 교대로 번쩍거리는 건너편 빌딩을 가리켰다.

"그래? 시내에서는 이십만 원이라던데 인자 그것도 십만 원으로 내려 붙었는갑네, 조금 더 있으면 오만 원으로 떨어지겠네 그려. 그러면 기다렸다가 그때 감세."

김씨가 허연 이빨을 드러내며 웃었다.

"아이고! 구두쇠 형님, 그때 되면 또 가면 되지요. 다리 착착 감기는 영계 맛본지 오래됐는디, 형님은 혼자 삼시롱 어떻게 잘도 참아내요."

"이 사람아 자네도 내 나이 되어 보소. 돈 없으면 제일 서러운 때가 우리 나이여, 내 머리 보기엔 시커멓지, 이게 다 늙은 티 안 낼라고 한 달에 두 번씩이나 염색해서 이렇게 꺼먼 것이여. 염색비만 해도 이만 원이나 된께, 따지자면 반나절 일당이시. 이것도 다 젊은 놈들 활개 치는 나라시판에서 늙었다고 꿀리지 않으려고 그러는 것 아니겠는가! 자네만이라도 이 홍어 속 같은 내 마음을 알아줘야지 누가 알아주겠는가."

"아따. 형님 늙었다고 누가 천대합디까? 그리고, 아직은 이 동생이 건재하고 있잖소, 아무라도 형님한테 섭섭한 소리하면 가만히 안 둘 테니까 염려 마쇼."

"허허 동생, 말이라도 고마우이, 요즘 세상에 건달이 따로 있나, 큰 소리치면 다 건달이제. 요즘 진짜 건달은 우리같이 불쌍한 사람들 뒤통수치는 짭상들이여."

헤드라이트 불빛이 주차장 너머로부터 번득이자 대화는 저절로 끊겼다. 서성거리던 기사들의 눈길이 어두운 저편 널브러져 있는 버스들 사이로 일제히 날아가 박혔다. 불 꺼진 버스들은 차 한 대나 빠져

나갈 만한 공간만 겨우 남겨 놓은 채 무질서하게 서 있다. 헤드라이트 불빛이 차츰 가까워졌다. 가장 멀리 있던 버스가 모습을 드러냈다가 어두워졌다. 이번에 그 앞의 버스가 불빛에 드러났다가 또다시 어둠 속으로 사라졌다. 또다시 버스가 불빛에 드러나고…, 드디어는 환한 헤드라이트 불빛 두 개가 너저분하게 세워져 있는 버스 사이를 요리조리 잘도 헤치면서 달려왔다. 태주는 습관적으로 차창너머 안쪽 승객들의 머릿수부터 세었다.

"제기랄, 달랑하니 예닐곱 명밖에 안 되구먼."

웅성거리며 모여 있던 기사 중 누군가 실망하여 내뱉은 소리였다.

"어이, 이 시간에 서울서 승객들이 떼거리로 내려올 일이 있남. 되레 저놈들이 미친놈들이지, 무슨 급한 일이 있다고 오밤중에 돌아다니겠어."

누군가 맞대꾸로 핀잔을 했다.

일반 승객이 많다고 시외 가는 나라시 손님이 꼭 많은 것만은 아니었다. 운이 좋을 때는 이런 새벽에도 승객들 태반이 촌놈들인 경우가 꽤 있었다. 또 모르지, 왕건이가 하나 걸릴지도…, 태주도 내심으로는 한 가닥 기대를 걸고 있었다.

손님들이 차례차례 내려오자 "시외 갑니다. 아저씨 시외 안 가요?" 기사들이 줄줄이 서서 외쳐 대는 사이를 늙수그레한 아저씨가 귀찮은 듯 사래질을 치며 종종걸음으로 빠져나갔다.

"아가씨, 시외 가실라면 내 차로 갑시다. 편안하게 모시께라."

김씨가 콧소리가 섞인 목소리로 젊은 아가씨 뒤를 잰걸음으로 따라붙으며 꼬시기 시작했다.

"머리가 납작하니 눌린 것을 보니 내려오면서 잠 깨나 퍼질러 잔 아가씨로군." 종종걸음으로 빠져나가는 아가씨 뒷머리를 보며 누군가가 입심 좋게 큰 소리로 농담을 했다. 다들 '와'하니 웃어댔다. 그러자 아가씨를 잰걸음으로 바짝 따라가던 김씨가 뒤를 돌아보고 손가락을 하나 수직으로 세워 '쉿!' 하고 조용히 하라는 듯 입술에 갖다 댔다.

"잘하면 김씨 한 껀 제대로 하겠군."

나이에 어울리지 않게 잽싼 김씨의 행동에 태주는 저절로 탄성이 터져 나왔다.

승객들 심리라는 것은 버스에서 내리자마자 덩치가 큼직한 남자들이 우루루 달려들면서 다짜고짜 시외로 나가지 않느냐고 물으면 정말로 시외로 갈 사람이라 하더라도 웬만큼 배짱이 없으면 오히려 겁을 집어먹고 도망치듯 빠져나가기 십상이었다. 태주도 최근까지만 해도 그렇게 우격다짐하듯 손님을 끌어서 태우고 다녔다. 그러나 조용히 기다리고 있다가 제 발로 찾아오는 손님을 챙겨서 싣고 다니는 다른 운짱들과 수입을 비교해 보니 거기서 거기라는 생각이 들면서 최근에는 한 발 뒤로 물러나기 시작했던 것이다. 그것은 20년의 운전대 인생이 지겨워진 것에도 이유가 있겠지만 요즘 들어 사는 것에 재미를 느끼지 못하면서 심드렁해져 버린 심사를 반영하는 것이기도 했다.

재수 좋게 한 명이라도 손님을 챙겼거나 허탕을 쳤거나 할 것 없이 동료들이 자리를 떠버리자 운전기사라곤 태주만 혼자 멀뚱히 남겨지고 말았다. 선잠 때문에 아직 머릿속이 멍한 태주는 새벽바람을 쏘이면 한결 낫겠다고 생각하여 발길을 돌렸다. 그런데 더 이상 아무도 없을 듯싶던 버스에서 구겨진 점퍼 차림의 작달막한 사내가 튕겨지듯 내리는 것이 보였다. 사내가 내리자 버스는 기다렸다는 듯 텅 하고 문을 닫고 어디론가 쏜살같이 가 버렸다.

차에서 내린 사내는 아직도 잠이 덜 깼는지 잠깐 비틀거렸다. '저 자식, 깨우려고 운전기사가 고생 좀 했겠군.'이라고 태주는 혼잣말을 하며 돌아서 가려다 혹시 저 자가 '빈집에 소 들어오듯' 장거리 시외 손님일지도 모른다는 생각으로 사내에게 다가가서 말을 걸었다.

"손님, 시외 안 가시오?"

태주가 불쑥 다가서며 말을 걸자 사내는 깜짝 놀란 듯 멈춰서 태주를 바라보았다.

"뭐요?"

사내는 의아한 얼굴로 되물었다.

"혹시 시외 가실라면 택시로 가자는 말씀입니다. 손님!"

태주는 웬 촌놈도 다 있는가 보다고 생각하며 최대한 선량한 사람으로 보이도록 입을 벌려 허옇게 이빨을 내보이며 목소리에 힘을 풀었다. 사내는 그때서야 알아차린 듯 고개를 끄덕거렸다.

"영암까지 얼마에 가요?"

주눅이 들었는지 기어 들어가는 목소리로 반문을 해 오는 사내가 태주 얼굴을 정면으로 바라보는 순간, 태주는 사내가 어디선가 한 번쯤 보았던 사람처럼 느껴졌다. 태주는 잠시 멈칫하며 기억을 더듬어 보았다. 두 개의 얼굴 모양이 겹치면서 어렴풋이 기억이 났다. 하지만 혹시라도 실수해서는 안 되겠다는 생각으로 그는 사내에게 조심스럽게 물었다.

"저, 혹시 이름이 동만 씨 아니오?"

태주는 오일팔 때 상무대 영창에서 같이 있었던 동만이 분명하다는 확신이 들었다. 얼굴에 주름만 좀 늘었지 윤곽은 옛날하고 하나도 변함이 없었다. 갑자기 누군가 자기 이름을 들먹이자 정신이 번쩍 드는지 사내는 눈을 깜박거리더니 태주의 얼굴을 정면으로 바라보았다.

　"누구요?"

　라고 물어왔지만 사내도 이내 태주를 알아보는 눈치였다.

　"나, 솥뚜껑 김태주야, 너, 쌩영감 오동만 맞지!"

　워낙 말도 없이 조용하였지만 가끔은 엉뚱하게 고집을 부려 망령이 든 영감 같다고 해서 별명이 쌩영감이었다.

　태주의 입에서 솥뚜껑이라는 말이 나오자 옛날 기억이 떠올랐는지 사내는 태주의 왼손은 힐끗 훑어보았다. 태주는 왼손을 좌악 펴서 사내의 얼굴 앞으로 내밀었다. 왼손과 얼굴을 한 번 바라본 사내는 그때야 실감이 났는지 입을 열기 시작했다.

　"어이 솥뚜껑 김태주, 이게 얼마만이야. 안 죽고 살아 있으니까 이렇게 만나네 그려."

　이번에는 사내가 먼저 손을 내밀었다.

　태주도 동만의 손을 잡았다. 이십 년 운전에 손바닥에 굳은살이 박여서 딱딱했지만 동만이 손은 아예 전체가 거칠거칠하였다.

　"어이 동만이! 오밤중에 심야버스가 뭐여, 무슨 급한 일이 있었는가?"

　태주가 동만이 얼굴을 들여다보며 의아한 듯 물었다. 동만이는 태주의 시선을 피하여 발치를 내려다보며 대답했다.

　"아니, 꼭 그런 것은 아니고, 서울에서 볼일이 다 끝났는데 객지에서 뭐하겠어, 집이나 빨리 내려가 불어야제"

태주는 시계를 흘긋 보았다. 5시 교대 시간이 되려면 아직은 두어 시간이 남아 있지만 오늘은 일찍 일을 작파해야겠다는 생각이 들었다.

"어이! 동만이, 지금 이 시간부로 오늘 일을 마감할랑께 어디 가서 해장국에 술이나 한잔하세."

태주는 오른손 엄지와 검지를 둥글게 접어 잔을 들고 술을 마시는 흉내를 내면서 눈을 찡긋했다.

"나는 괜찮지만, 자네, 그래도 된가? 괜히 나 때문에 일 그만두는 것은 아니겄제."

동만이 눈을 동그랗게 떴다.

"아따, 근 이십 년 만에 동지를 만났는데 하루쯤 젖혀 버려도 상관은 없지, 안 그런가."

태주는 껄껄거리며 웃었다.

"그래, 그러면 어디 가서 한잔하세, 나도 그러면 버스 시간이 되겠구먼."

다소 안심이 됐는지 동만은 환하게 웃었다. 태주는 걸음을 성큼성큼 내지르며 앞장을 섰다.

2.

뚱보 아줌마는 설거지를 하다가 어깨를 건들거리며 들어서는 태주를 바라보고 의아한 표정을 지었다. 그녀는 켜켜 쌓인 먼지로 바늘도 잘 보이지 않는 벽시계를 한참이나 쳐다보았다. 5시 교대가 끝나고 훤해져야 가끔 한 번씩 들러서 라면에 잔술이나 한잔 걸치고 가던 태주였다. 그것도 손님 바가지 씌운 이야기나 대단한 무용담처럼 큰 소리로 떠들고는 금방 사라지고 말았던 그였다. 그런데 난데없는 이른 시간에 태주가 들어서자 아줌마는 웬일인가 싶어서 바라보던 참이었다.

태주 뒤를 따라 들어오던 동만은 훤한 형광등 불빛에 얼굴을 찡그렸다. 밝은 빛에 드러나는 동만의 행색은 시커먼 얼굴에 싸구려 잠바가 영락없는 시골 촌놈이었다. 호기심 어린 눈으로 오동만을 위아래로 훑어보는 뚱보 아줌마를 거들떠 보지도 않고 태주는 주문부터 했다.

"아줌마, 소주 한 병 주쇼. 곱창 국물 얼큰하게 끓여 주고라"

"아니, 벌써 교대했소?" 아줌마는 태주에게 시비 걸 듯 물었다.

"한 삼십 년 만에 오일팔 동지를 만났는디 일이 다 뭐여. 오랜만에 회포나 풀어야제." 태주는 오일팔 동지라는 대목에서 목소리에 은근히 힘을 주었다.

"오일팔 동지! 그러면 옆의 아저씨도 광주사태 시민군이었소? 아따, 근디 지금 보면 어디 시골에서 땅 파다가 막 올라온 촌사람 같소잉." 뼈기는 태주의 말은 무시하고 아줌마는 자기 할 말만했다.

"아따, 아줌마는 아는 척하지 말고 빨리 술이나 주쇼, 손님들이 없은께 디게 심심한 모양이요." 태주는 퉁명스럽게 핀잔을 줬다. 아줌마는 불어서 퉁퉁해진 오뎅 조각이 둥둥 떠 있는 국물과 깍두기 김치 그릇을 탁자 위에 던지듯 내려놓고 소주병 뚜껑을 깠다.

"어이, 우리 일단 건배 한잔하세." 옆에서 얼쩡거리는 아줌마를 외면하고 태주는 동만이의 술잔에 잔을 부딪쳤다.

"어이, 태주. 정말 오랜만이네." 술이 한 순배 돌자 동만이는 금방 얼굴이 빨갛게 달아올랐다.

"그동안 자네는 뭐하고 살았어, 연락 한 번 없게!" 태주는 호기심이 가득 찬 얼굴로 동만을 바라보았다.

태주가 전해 듣기로 동만은 그동안 오일팔 동지회는 물론이고 친하게 지냈던 다른 사람들에게도 일체 연락을 끊어 버린 것으로 알고 있었다. 가끔 동만이가 공장에 다니는 걸 보았다든지 혹은 어디서 농사를 짓는다는 그런 이야기만 귓결에 들었을 뿐이었다.

"나는 고향에서 농사 짓고 살았어. 자네는?" 태주의 호기심에 비해 오히려 동만이는 침착했다.

"나야 보다시피 죽으나 사나 택시 기사지, 오일팔 때는 카센터 조수였지만 영창에서 나온 뒤로 지금까지 계속 운전해서 먹고살았어. 나라시 밥만 해도 벌써 칠팔 년은 되네. 자네는 그때 공장에 다녔잖아! 무슨 가구 공장이었던 것 같은데."

"맞아, 자개 공장. 교도소 나온 뒤로 공장 생활 몇 년 하다가 폐병 걸려갔고 요양원에서 몇 달 입원했다가 퇴원하고 시골로 내려가서 지금까지 죽 농사를 짓고 살았어." 동만은 머리를 긁적거렸다.

"지금 건강은 괜찮아?"

"일하는 데 지장은 없어. 요즘은 촌 농사일도 기계가 전부 다 하니까, 자네 손은 어떻고?" 동만이 시선이 다시 태주의 왼손으로 향했다.

"나야 그때 이미 다 났잖아. 지금은 신경도 다시 살아났고, 오히려 운전대 잡기는 더 나아, 손이 커져 버렸으니까." 태주는 왼손과 오른손을 마주 대고 붙여 보며 자랑스러운 듯이 흔들어 보였다. 왼쪽 손가락 끝이 오른쪽 손가락보다 이삼 밀리쯤 더 솟아 보였다.

"그래서 아직도 내 별명이 솥뚜껑 아닌가. 터미널에서 솥뚜껑 물어보소 웬만한 사람은 다 나를 안다네." 태주는 자기의 짝짝이 손을 바라보다 계면쩍은 듯 어색하게 웃었다.

"그래, 참말로 무자비한 놈들이었어. 항복하고 손을 들고 나오는데 총을 갈겨 댔으니…" 동만은 그때가 생각이 났는지 죄 없는 천장만 바라보았다.

"아따, 그것이 나쁜가, 죽은 사람은 말이 없어서 그렇지. 망월동에 묻혀 있는 사람들한테 어떻게 죽었냐고 물어보소, 사연으로 본다면 기막힌 이야기가 엄청 많을 걸세. 그때 지하실 무기고 지키던 사람들이 항복! 항복! 하고 손을 번쩍 들고 나오는 데도 그 새끼들이 M16을 자동으로 걸고 난사해서 즉사한 사람도 있었잖아. 그것에 비하면 나는 양반이지. 안 그런가." 차라리 태주는 차분한 음성이었다.

"하기야 그때 우리들이 뭐 사람대접 받았는가. 전쟁 포로도 그렇게는 안 다뤘을 것이여. 지금 와서 그런 말 하면 뭐하겠어. 그때는 담배 한 대 피다가 들켜도 죽지 않을 만큼 두들겨 맞은 것이 쎄불었능께." 담배에 불을 붙이던 오동만은 새삼스럽게 그때 생각이 나는 모양이었다.

"맞아, 자네가 그때 담배 때문에 삼일간이나 철창에 매달렸었지. 아따, 인자 생각이 나네." 태주는 무심결에 나온 담배 이야기에 맞장구를 치다가 흠칫 놀랐다. 차츰 그때의 가슴 졸였던 기억이 생생하게 떠올랐다.

3.

상무대 영창 안에서 최고의 즐거움은 몰래 담배 피는 것이었다. 학생들은 책이라도 읽고 있으니까 견딜 수가 있겠지만 태주나 동만이 같은 공돌이들은 특별히 하는 일도 없이 앉아서 시간만 죽이고 있자니 하루하루가 정말 죽을 맛이었다. 밥풀을 이겨서 만든 윷이나 꼬누로 하는 놀이는 장난으로 하는 것이었기 때문에 금방 시시해졌다. 담배는 그런 놀이하고는 차원이 달랐다. 밖에서 담배를 즐겨 피다가 잡혀 들어온 사람에게 매 맞는 것과 담배 끊는 것 중에서 무엇을 선택하겠느냐고 물으면 차라리 매를 맞겠다는 사람이 더 많을 정도로 담배는 끊기 어려운 것이었다. 그래서 감옥 안에서 담배는 최고의 가치를 부여받는 물건이었다.

하지만 영창에서 담배는 절대적인 금기사항이었다. 수사관이나 헌병들은 철저하게 담배 단속을 했다. 자신들이 담배를 피고 난 후에는 꽁초 하나 남지 않도록 청소를 깨끗하게 해댔으며, 혹시 꽁초라도 가져가지 못하도록 재떨이에는 물을 가득 부어 놓곤 했다. 그러나 열 명의 경찰이 한 명의 도둑을 지키지 못한다는 말이 있듯이 사람 사는 세상에서는 어느 곳이건 구멍은 있는 법이었다. 담배에 굶주린 골초들은 취조를 받건 몽둥이로 구타를 당하건 항상 담배 생각만 하고 있어서 어디 꽁초라도 하나 떨어져 있지 않나, 라고 주위에 신경을 썼다. 심지어는 수사관이 피고 남은 꽁초나 무심코 책상 위에 놔둔 담배까지도 어떻게 간수하는가 시선을 놓치지 않고 지켜보고 있었다. 그러다 수사관이 잠시라도 한눈을 팔거나 자리를 뜨면 재빨리 꽁초를 줍거나 담뱃갑에서 한두 개비를 훔쳐서 나중에 검사해도 들키지 않을 만한 곳에 숨겨가지고 들어왔다.

　조사나 면회를 다녀온 치들이 절묘하게 숨겨 온 담배는 그것이 온전한 담배건 꽁초건 간에 최고의 선물이 되었다. 사람들은 담배 한 개비를 터서 가루를 쏟아 낸 다음 다시 얇고 반질반질한 성경책 종이에 가늘게 말아 필터도 없는 가느다란 담배를 세 개비나 만들어 냈다. 그렇게 만든 담배 한 개비에 세 명씩 조를 짜서 교대로 화장실에 들어가 담배를 피웠다. 그들은 먼저 한 명이 화장실에 들어가 삼분의 일쯤 핀 후 불이 붙은 상태의 담배를 변기 뚜껑 위에 얹어놓고 나오면 그 다음 사람이 재빨리 다시 들어가 삼분의 일쯤 피고, 다시 세 번째 사람이 들어가 나머지 삼분의 일을 피운 후 흔적이 남지 않도록 깨끗이 청소를 하고 나오는 식이었다. 그래서 보통 담배 한 개비면 9명이 피울 수가 있었다. 스무 개비가 들어 있는 담배 한 갑은 계산상으로 따지자면 180명이 담배를 즐길 수 있는 엄청난 분량이었다. 재수 좋으면 하루에 한 번씩이라도 담배를 피울 수가 있었지만 운때가 안 맞으면 일주일이건 열흘이건 창 너머로 날아오는 연기 구경도 못한 채 건너뛰기가 십상이었다. 며칠간 냄새도 못 맡고 시간만 죽이고 지내다가 어떻게 꽁초라도 생겨서 오랜만에 피는 담배는 시쳇말로 표현하자면 정말 사람을 죽여주는 맛이었다.

　고소한 담배 연기가 화장실 문틈으로 새어 나오기 시작하면 차례를 기다리고 있는 사람은 벌써 코부터 벌름벌름하니 흥분하기 시작했다. 그러다 화장실에 들어가 변기 뚜껑 위에 놓여 있는 담배를 입에 물고 쭉 빨아들이면 연기가 목으로 넘어가면서 등 뒤 뼈마디 사이의 연골부터 녹기 시작하여 무릎 관절을 거쳐 발목의 힘이 스르르 빠져나갔다. 머리도 안개가 낀 듯이 멍해지면서 심할 때는 눈물까지 글썽하니 배어날 때도 있었다. 그러다 몸을 제대로 가누지를 못하면 물통에서 변기로 연결되는 알루미늄 송수관을 두 손으로 꽉 쥐고 미끄러지듯이 주저앉기가 일쑤였다. 하지만 그렇게 쪼그리고 앉아서도 입은 연거푸 담배를 빨아 들이켜기 마련이었다.

담배를 깊이 빨면 연기는 배 속에서 다 흡수되기도 하는 모양이었다. 한 모금의 연기라도 아까워 담배를 연속적으로 빨아 대면 사람의 내장 속에서 연기가 다 흡수되고 마는지 아예 입 밖으로 한 모금도 빠져 나오지 않을 때도 있었다. 하지만 매번 피는 담배 맛이 그렇게 감동적으로 충격을 주는 것은 아니었다. 담배를 열흘이나 달포 이상 피지 못한 상태에서 처음 들이키는 몇 모금의 연기에서만 그런 맛을 느낄 수 있었다. 담배가 흔해져서 하루에도 몇 개비씩 피다 보면 그 맛은 희석되어 이미 덤덤해져 버렸다. 어떻든 담배는 모든 사람들이 공통적으로 즐길 수 있었던 유일한 도구였다.

영창의 동료들은 한 모금이라도 흡연에 동참하려면 철저히 준수해야 할 불문율이 존재했다. 그것은 혹시라도 잘못되어 담배를 피다 들키더라도 절대 담배의 출처와 함께 피었던 동료들의 이름은 불지 않아야 한다는 것이었다. 설혹 수사관이나 헌병들에게 직접 담배 피는 현장을 들키면 청소하다가 꽁초를 주웠다든지, 아니면 재떨이에서 숨겨가지고 왔다든지, 황당하지만 화장실 창틀 너머에서 갑자기 담배가 떨어졌다든지 그런 핑계를 대서 절대로 동료를 물귀신처럼 물고 들어가지 않아야 한다는 것이었다. 그런 정도의 의리는 지켜야만 그나마

끽연의 기회가 주어졌고, 들키더라도 징계가 더 이상 확산되지 않은 채 당사자에게 한정될 수 있었다.

당시에 전주에서 시위를 하다 잡혀 들어온 치들도 항소를 하여 고등법원이 있는 광주로 이감되어 영창에서 태주네와 합류를 한 적이 있었다. 그중 성모라는 이름을 가진 몸이 무척이나 약한 대학생 형이 있었다. 공교롭게도 그 형은 태주 옆자리에 배치가 되었다. 그렇게 한 달인가 같이 생활했는데 몸이 약해 침구를 펴고 갠다거나 운동을 나갈 때나 혹은 빨래를 할 때에도 태주가 일일이 도와주어야 했다. 태주는 싫은 내색 한 번 하지 않고 처음부터 끝까지 친절하게 도와주었다. 성모는 태주와 한 달가량을 함께 지내다가 항소심에서 집행유예처분을 받고 동료들과 함께 석방되었다. 사건의 발단은 그날 시작되었다.

전북 팀들이 고등법원 2심 선고재판 받던 그날은 태주의 입장에서 보면 무척이나 재수가 좋은 날이었다. 오후 다섯 시쯤이나 되었을까, 성모가 포함된 전주 팀이 우루루 한꺼번에 들어오더니 옷가지며 사물들을 챙기기 시작했다. "어이, 재판 어떻게 되었어, 어디로 이감 결정이라도 났나, 왜들 짐을 싸?"라고 누군가 묻자 그들은 입이 벙글벙글하니 벌어져 다물어지지가 않은 채 '집행유예 석방이야, 석방!'이라고 큰 소리로 대답했다. 그러자 영창 안은 놀람과 부러움으로 삽시간에 술렁거리기 시작했다. 전북 팀은 광주 팀과 분리되어 재판이 진행되었기 때문에 결과도 약간은 다를 것이라고 예측은 했지만은 그렇게 빨리 석방될 수 있으리라고는 아무도 예상하지 못했던 것이다.

영창 안이 시끌시끌한 상황에서 갑자기 성모가 태주에게로 다가오더니 "야, 강아지다! 통째로 한 갑이다. 방청 온 친구가 가져온 것이다. 아껴 피워."라고 속삭이며 두툼한 것을 호주머니에 깊숙이 찔러주고는 제자리로 돌아갔다. 평소 같았으면 어림없었겠지만 집행유예로 석방 결정이 나서 감시가 한결 소홀했기 때문에 성모가 담배를 무사히 숨겨 올 수가 있었던 것이다. 보통 때 같으면 꿈에도 상상할 수가 없는 일이었다. 담배라니, 그것도 통째로 한 갑이라니… 태주는 너무 기뻐 가슴이 뻐근하였다.

며칠간 태주와 2방의 젊은 치들은 담배 풍년으로 행복한 시간을 만끽하였다. 하지만 좋은 일이란 끝이 있기 마련이었다. 그 달콤한 행복을 기어이 독사 최 반장이 끝장을 내고 말았다. 그날 며칠 맛있게 나눠 피고 반 갑쯤 남은 담배를 대강 개켜 놓은 동만이의 빨랫감 속에 태주가 숨겨 놓았을 때 하필이면 최 반장이 비상을 때리고 나타난 것이었다. 최 반장이 영창 정문에 나타났다 하면 항상 1방에서부터 급히 암호가 각방으로 돌았다. 암호는 '독사 떴다!'였다. 최 반장이 떴다는 암호가 6방까지 좌악 돌고 나면 검열에 걸릴 만한 물건은 비밀창고로 불리는 마루 밑바닥으로 숨겨 놓는 것이 관례였다. 겉으로 보기엔 못이 박혀 있는 것처럼 보였지만 사실은 끊겨 있는 못으로 위장된 바닥 마루판이 비밀 창고의 문이었다.

그날 대형 사고가 터지고 말았다. 독종인 최 반장이 기어이 사고를 쳤다. 그날 비상은 공교롭게도 태주가 뒷줄에서 밥풀을 짓이겨 만든 윷놀이 판에 선수로 참여하고 있을 때 떨어졌다. 태주가 동만이에게 담배가 옷 속에 숨겨져 있다는 것을 미처 알려 줄 겨를이 없이 갑자기 비상이 떨어지고 말았던 것이다. 게다가 그날 비상은 특급이었다. 구타도 없이 영창 분위기를 며칠간 풀어 준 다음 기압이 빠졌다는 명분으로 가끔씩 내리던 조치였다. 그런 조치는 대개 최 반장이 직접 주도했다. 독사가 영창 입구에 들어서면서 악을 쓰듯이 '동작 정지!' 하면 그때부터 시작이었다. 모두들 하고 있던 동작 그 상태에서 멈추고 있어야지 조금이라도 움직이면 헌병들이 우루루 문을 따고 들어와서 군화발과 곤봉으로 일시에 초죽음을 만들고 말았다. 수없이 당해 왔기에 좌중은 바늘 하나 떨어지는 소리까지 들릴 지경으로 순식간에 동작을 멈춘 채 조용히 하고 있었다.

'1방부터 검방!' 이라는 독사의 말에 따라 제일 왼쪽의 1방부터 수색이 시작되었다. 단정하게 개어 놓은 사물은 물론이고 빨래 더미까지 샅샅이 헤쳐지며 반입이 금지된 물건을 찾아내기 시작하였다. 담배, 라이터나 칼이라든지 그런 물건들이 반입이 금지된 물건의 항목이었다.

1방 검사가 끝나고 2방 검사가 시작되었다. 동만이는 아직 아무것도 모르고 태연히 앉아 있었다. 헌병들이 드디어 동만이의 빨래를 뒤지기 시작했다. 김 중사가 빨래 뭉치를 들어 허공에 털어 대자 반쯤 접혀진 담뱃갑이 툭하니 바닥에 떨어졌다. '아!' 순간 태주는 마음속에서 천근만근쯤 되는 쇳덩어리가 심장을 짓누르는 것처럼 느껴졌다. 모두의 시선이 그곳으로 향해졌다. 누군가 '억'하니 놀라서 외치는 외마디 비명 소리도 들렸다.

헌병들은 우르르 달려들어 동만을 끌어냈다. 동만은 담배가 왜 자기의 빨래 속에서 발견되었는지 영문도 모른 채 끌려 나갔다. 동만은 끌려가면서 자꾸만 뒤를 돌아보았다. 동만의 시선은 사람들 사이에서 누군가를 열심히 찾고 있는 듯싶었다. 태주는 동만이 열심히 찾고 있는 사람이 자기라는 것을 직감적으로 알 수 있었다.

안에 있는 사람들이 볼 수 없도록 구타는 영창 밖 연병장에서 시행되었다. '퍽퍽' 하고 몽둥이로 때리는 소리가 영창 안에까지 들려왔다. 독사는 처음 삼십 분간은 아무 말도 없이 무조건 때리는 것이 특기였다. '담배가 어디서 생겼느냐? 누구누구와 함께 피웠느냐?' 그놈은 그런 것은 묻지도 않고 무조건 두들겨 팼다. 아니 어쩌면 그것이 독사의 고단수 작전이었는지도 몰랐다. 아무것도 묻지 않고 두들겨 패기만 했지만 삼십 분이 넘어가면 대개는 매를 맞는 당사자 스스로가 줄줄이 불기 시작했다.

비명 소리가 날 때마다 태주는 자신이 당하고 있는 듯이 가슴이 아팠다. 처음 비명 소리는 높은 톤의 외마디 외침처럼 들려왔지만 시간이 갈수록 낮은 톤의 흐느끼는 동물의 신음 소리처럼 변해 갔다. 태주는 몇 번이고 뛰쳐나갈 뻔하였다. 그러면서도 한편으로는 두 가지 바람을 기원했다. 하나는 동만이가 끝까지 잘 버텨 주는 것이고 다른 하나는 차라리 담배는 태주 것이라고 시원하게 불어 버렸으면 하는 것이었다. 태주는 매에는 장사가 없다고 결국은 동만이 자신의 이름을 불게 되리라고 생각했다. 그리고 태주의 이름을 대려면 매라도 덜 맞게 조금이라도 빨리 불어 버리길 바랐다. 하지만 예상과는 달리 동만이는 끝까지 견뎌 내고 말았다. 동만이는 한 시간이 지나도록 비명만 질러 댔지 굴복하지 않았다. 매가 더욱 거세졌는지 둔탁하게 매 맞는 소리는 잦아졌고 비명 소리 대신 들리던 신음 소리조차 나중에는 아예 들리지 않았다. 태주는 마음속으로 '동만아, 차라리 기절해 버려라.'고 수없이 외쳐 댔다. 그때는 동만이 정신을 빨리 놓아 버렸으면

하는 바람이 그렇게 절실할 수가 없었다.

　사람은 겉으로 보아서 쉽게 알 수가 없다는 옛말이 맞았다. 겉으로 보기에 순하게 생겨서 그 사람은 절대 고문을 참지 못할 것이라거나 어떤 사람은 야무지게 보여서 매질은 잘 참아 낼 것이라거나 그렇게 함부로 단정을 하는 것은 절대 금물이었다. 적당히 인정을 봐 가면서 때리는 매 앞에서는 인간의 본성이 잘 드러나지 않았다. 하지만 살인적인 구타 앞에서는 사람의 숨겨져 있던 본성이 적나라하게 드러나는 모양이다. 평소에는 그렇게 순하던 사람이 오히려 독종처럼 잘도 버티는가 하면 야무지게 생긴 사람이 매 몇 대에 설설 기며 금방 항복하기도 했다. 순진한 촌놈처럼 보였던 동만은 의외로 독종이었다.

　동만이 몇 시간이 지나도록 실토하지 않자 독사는 직접 몽둥이를 잡고 개 패듯이 두들기며 설치다가 마침내 동만이 까무러쳐 혼절을 한 후에야 매질을 그쳤다. 그러고도 독사는 분이 풀리지 않았는지 동만의 두 손을 수갑에 채워서 철창을 매달라는 지시를 하고는 자리를 뜨고 말았다.

　모두들 금방 풀어 주겠지, 라고 걱정하는 사이에 어느덧 사흘이 지나 버렸다. 철창에 매달린 동만은 겨우 목으로 물만 흘려 마실 뿐이었다. 매달린 지 이틀째 되는 날에 그는 동물이 죽기 전에 마지막으로 뱉어 내는 비명처럼 처참한 신음 소리를 토해 내다가 사흘째 되는 날에는 그 소리마저도 아예 잦아지고 말았다. 그리고 그는 의식을 놓아 버렸는지 철창에 매달린 채 꼼짝도 않았다. 그대로 두었다가는 동만이 목숨까지 위험하다는 이야기가 영창 전체로 확산되면서 나이가 많은 어른들이 대표자로 나서서 풀어 주지 않으면 재소자 전체가 무기한 단식을 시작하겠다고 정식으로 공표를 한 후에야 그는 겨우 풀려날 수가 있었다.

수갑을 풀고 철창에서 놓여난 동만이를 태주는 껴안고 울었다.

"차라리 불어 버리지 그랬어!"

눈을 감고 있던 동만이 태주의 목소리를 들었는지 갑자기 눈을 뜨고 입을 벌리면서 무어라고 말을 하려다가 힘이 들었는지 다시 눈을 감아 버렸다. 태주는 순간 동만의 눈에서 빛이 번쩍였던 것처럼 느껴졌다. 태주는 동만이 하려던 말이 마치 '왜, 하필이면 담배를 내 빨래 속에 넣었느냐.'고 물으려 했던 것처럼 느껴졌다.

잠시 후 군인병원의 구급차가 영창에 도착했다. 독사도 동만이 죽는, 그런 사고는 원치 않았는지 병원에 연락을 해 놓았던 모양이다. 동만은 의무병들에 의해 침대에 옮겨져서 구급차에 병원으로 갔다. 동만을 태운 구급차는 사이렌 소리를 요란하게 울리며 영창을 출발했다. 태주는 사이렌 소리가 완전히 들리지 않을 때까지 엉거주춤하니 일어서질 못했다. 그리고 한 달쯤 지난 후 어느 정도 건강을 회복한 동만은 다시 영창으로 돌아왔다.

4.

사실적인 흑백 장면이 짧게 편집된 다큐멘터리 영화처럼 80년 당시 영창에서 겪었던 기억들이 일순간에 태주의 뇌리를 스치면서 지나갔다. 태주는 그때 동만에게 빚을 진 것 같아 은근히 그의 눈치가 보였다. 태주가 동만의 빨래 속에 담배를 넣어 두었던 것과 독사의 비상 점호가 공교롭게도 맞물려 일이 그렇게 꼬여 버렸던 것에 대하여 태주는 그 당시에도 여러 번 해명을 하려고 줄곧 벼렸다. 그러나 재판이 끝나 나중에 교도소에서 출소할 때까지 기회가 주어지지 않아 말도 꺼내지 못한 채 결국 지나가 버리고 말았다.

"어이, 영감. 그때 담배 사건 기억 나?" 일부러 태주가 먼저 말을 꺼냈다. 동만은 고개를 끄덕이며 대답 대신 술잔을 들며 건배를 권했다. 태주는 술잔을 단숨에 비우며 한 번 꺼낸 말이라 기왕에 다 해 버려야겠다고 작정했다.

"어이, 동만이. 나 그때는 참 괴로웠어. 내가 일부러 그랬던 것은 아니었지만 묘하게도 자네가 옴팍 뒤집어써 버리게 되어서…, 자네가 묶여 있던 사흘 동안 나도 무척이나 마음이 괴로웠어. 총이라도 내 손에 있다면 독사 그놈부터 시작해서 헌병 놈들까지 모두 다 갈겨 버리고 싶었어…."

태주와 동만이 교도소에서 출소했던 즈음, 그는 동만을 만나면 꼭 사과해야겠다고 벼르고 있었다. 그러나 동만을 만나지 못한 채 헤어지고 말았다. 그 후로 태주는 동만을 만나지 못했다. 그리고 세월이 흘러서 그 사건은 태주의 기억에서 까맣게 잊혀버린 사건이 되고 말았다. 그런데 오늘 갑자기 동만을 만나서 옛날이야기를 하다 보니 시간이 80년 당시로 돌아간 것처럼 또렷하게 기억이 되살아났다. 태주가 차츰 흥분하는 것에 비해 동만은 아직 아무런 내색을 하지 않고 술잔만 기울이고 있었다. 태주는 제 분에 못 이겨 말을 계속 뱉어냈다.

"독사, 그 자식. 그놈한테 걸리면 물고문, 전기고문! 차라리 고문이란 말은 사치야! 영감, 너도 당해 봤겠지만 물고문을 어떻게 시켰는지 알아! 수갑을 뒤로 채워 무릎을 꿇리고 나무의자를 턱 밑으로 받쳐서 고개를 뒤로 밀어젖힌 후 주전자로 물을 코로 들이부었어. 아주 간단했지. 한 번은 어땠는지 알아. 식당에서 짬뽕을 배달해 먹고 난 후 그 국물을 주전자에 넣어서 얼굴에 들이부었다니까. 또 전기고문은 어땠는데, 천장의 전구 소켓에서 전선을 끄집어내서 바로 그 전선으로 몸이나 팔에 대어 감전을 시켰지. 나는 또 무슨 별도의 고문 기계 같은 것이 있을 줄 알았지. 그런데 그런 도구는 없었어. 독사가 바로 그런 새끼였어!"

태주는 옛날 일을 생각하면 할수록 점점 더 화가 나기 시작했다. 그것에 반해서 동만은 아직도 조용히 술만 마시고 있었다. 그런 동만이 태주는 차츰 답답하게 느껴졌다. 은근히 가슴에서 울화가 치밀어 올랐다. 태주는 신경질적으로 소리를 질렀다.

"야, 영감, 무슨 말이라도 해 봐. 그때 내가 그렇게 미웠다든지, 아니면 용서한다든지…." 그때, 태주의 말을 잘라먹었던 것은 동만의 의외의 행동이었다.

동만은 잠바 안주머니에서 무엇인가를 꺼내서 주섬주섬 책상에 올려놓았다. 신문지에서 오려낸 손바닥만 한 종잇조각이었다.

"어이, 태주. 이 사람 최 반장, 독사 맞아?" 동만은 구깃구깃해진 종잇조각의 타원 속에 나타나 있는 어떤 얼굴을 가리키고 있었다. 전국의 국회의원 출마 후보자 사진과 약력이 게재된 신문지였다. '성명 최경구, 경찰서장 역임.' 타원 안에는 분명히 늙은 최 반장이 양복을 입고 점잖게 미소를 띠고 있었다.

"아니, 이놈!" 태주는 기가 막혔다.

"이놈, 독사가 분명하지!" 동만은 다짐을 받듯이 태주에게 확인을 했다.

최 반장이라고 기억은 하지만 최경구라는 성명 석 자는 다 잊어 먹은 상태였다. 몇십 년이 지난 지금, 조그마한 신문 사진으로 당시 얼굴과 비교한다는 것 또한 쉬운 일이 아니었다. 그러나 어찌 그 얼굴을 태주가 잊을 수가 있으랴!

"태주, 내 부탁 한 번 들어줄 수 있겠냐?" 동만이 정색을 하고 물었다.

"무슨 부탁?" 태주는 머리를 갸웃거렸다.

"최 반장 만나러 갈라는데 함께 갈 수 있겠는가?" 동만이 태주의 얼굴을 정면으로 바라보았다.

"독사를 만나러! 뭣 할라고?" 태주는 술이 깨기 시작했다.

"물어보고 싶어."

"삼십 년이 넘었는데 뭘 물어봐! 너, 미쳤냐?"

"가? 안 가? 그것만 말해. 가기 싫으면 말든지, 나는 간다."

"동만이 네 미쳤구나, 가서 어떻게 하겠다는 거야?"

"그놈, 어떻게 살고 있는가 봐야 되겠어."동만이는 눈길 한 번 흩트리지 않는다.

"야, 미친놈아! 그만 잊어, 어떻든 나는 안 가. 알았어!" 태주는 다짐을 하듯 큰 소리를 질렀다.

"야, 솥뚜껑 김태주, 너는 가야 해, 그때 나에게 했던 말 기억하고 있어, 네가 언젠가는 복수하겠다고 했잖아." 동만은 갑자기 뻣뻣하게 언성을 높였다.

"뭐, 복수, 오일팔 문제가 끝난 것이 언제인데, 복수는 복수야! 야, 영감, 너, 보상금 안 타먹었어? 타먹었을 것 아니야." 태주는 너무도 답답한 나머지 해서는 안 될 말까지 기어이 내뱉고야 말았다. 보상금 문제는 여간해서는 거론하지 않는 것이 구속자 서로 간의 관례였다.

"뭐, 보상금! 나 그 돈으로 외국 여자하고 결혼했다. 애새끼도 낳고 한 십년 잘 살았다. 그런데 엊그제 어디론가 도망을 가 버려서 오늘도 서울에서 한바탕 뒤지고 오는 길이다." 발갛게 상기된 동만의 입술이 파르르 떨렸다. 태주는 억하니 말문이 막혔다.

"네가 내 심정을 어떻게 알아! 마누라는 도망가고, 아파서 누워 있는 늙은 어머니와 이제 학교 다니는 어린 새끼들이 비실대고 있는 방 구석을 상상이나 해 본 적이 있어!" 봇물 터지듯 퍼부어 대는 사이에 동만은 밭은기침을 했다.

5.

선거사무소는 도시의 가장 번화가인 사거리 빌딩의 1층에 차려져 있었다. '공직 생활 30년, 정직하고 능력 있는 최경구!'라고 쓰인 현수막이 간판을 대신하여 좌우로 길게 걸려 있었다. 사거리 인도 앞에는 예쁘고 몸매가 잘 빠진 여자들이 후보자 사진이 인쇄된 피켓을 든 채 서너 명씩 무리를 지어 지나가는 사람들에게 '기호 1번 정직한 후보 최경구를 밀어 주십시오!' 라고 외치며 고개를 깊숙이 숙여 인사를 하고 있었다.

사거리에 온 동만은 지나다니는 사람들을 힐끔힐끔 살피면서 길 건너편 선거 사무소를 뚫어져라 쳐다보았다. 태주는 동만의 눈에 띄도록 서투른 행동을 지켜보고 있자니 아이를 물가에 두고 온 어미처럼 조마조마하기만 했다. 선거사무소에는 검정색 양복 차림의 젊은 청년들과 나이든 노인들이나 중년의 아주머니들이 문이 닳도록 빈번하게 출입을 하고 있었다.

최 반장은 꾹 다문 입에 무표정한 얼굴로 마치 하기 싫은 말을 억지로 뱉어내듯 꼭 할 말만 했다. '누구랑 했어? 총을 몇 방이나 쏘아봤어?' 기껏 숨겼다고 안심을 하였다가도 다른 사람의 조사과정에서 이름이 올라서 조서가 넘어왔다 하면 최 반장은 아무 말도 없이 조서를 집어던지고는 바로 몽둥이부터 들고 후려치기 시작했다. '왜, 말 안 하고 숨겼어!'라고 물어보는 법도 없었다. 팔이고 다리, 가슴이나 엉덩이건 닥치는 대로 마구 두들겨 맞다 보면 차라리 어디 한 군데라도 부러져서 병원으로 실려 갔으면 하고 바라곤 했다. 하지만 절묘하게 구타하는 비법이라도 있는지 묘하게도 조사 과정에서 실려 가는 일은 거의 없었다. 태주는 선거 사무소 앞에 붙어 있는 살집이 보기 좋도록 두툼하니 찐 데다 안경까지 쓴 젊잖게 생긴 신사가 웃고 있는 벽보 사진을 바라보았다. 바늘로 찔러 피 한 방울 나오지 않을 것처럼 단단한 인상의 오일팔 당시 영장에서의 최 반장 얼굴은 아니었다. 태주는 최 반장의 얼굴이 어떻게 변했을까 궁금해졌다.

"야! 영감, 사무실 가까이 가 보자."

태주는 턱으로 횡단보도를 가리켰다. 동만은 고개만 끄덕이며 태주에게 다가왔다. 눈을 동그랗게 뜬 것이 잔뜩 긴장한 눈치였다. '자식, 겁먹기는' 태주는 혼잣말을 뱉으며 먼저 횡단보도로 다가갔다. 동만도 재빨리 따라왔다. 신호등이 빨간색에서 몇 번 점멸하다가 파란색으로 바뀌었다. 서 있던 사람들이 우르르 건너가기 시작했다. 그들도 사람들 틈에 끼어서 건너갔다. 태주는 동만의 소매를 잡고 보도를 따라 걸으며 선거사무소 안을 들여다보았다. 빼곡하게 벽보로 도배하듯이 덮여진 유리창 너머로 전화를 받거나 컴퓨터 앞에 앉아서 심각한 얼굴로 이야기하고 있는 사람들로 가득 찬 사무실 풍경이 슬쩍 지나갔다. 얼핏 보았지만 후보처럼 보이는 사람은 없는 것 같았다.

스무 걸음이나 지나쳤을까, 태주는 걸음을 멈추고 되돌아서서 동만에게 물었다.

"어때, 독사 보이냐?" 동만은 고개를 살래살래 저었다.

"한 번 더 자세히 보자." 태주는 뒤로 돌아 다시 걷기 시작했다. 동만도 역시 태주 뒤를 따랐다. 보도에는 여남은 명의 행인들이 지나가고 있었다. 이번에 둘은 더욱 천천히 걸었다. 선거 사무소 앞을 지날 때였다. 갑자기 검정색 승용차가 사무소 앞에 멈추었다. 차가 멈추자 선거사무소 유리문이 열리며 양복 차림의 청년 몇 명이 재빠르게 튀어나왔다. 청년들이 승용차 문을 열자 나이가 든 중년의 신사가 천천히 밖으로 나왔다. 노신사는 사무소로 들어가기 전에 지나가는 사람들에게 악수를 청하기 시작했다. 행인 두어 사람과 악수를 마친 노신사는 태주와 동만에게까지 다가와 악수를 청해 왔다. 엉겁결에 둘은 악수를 하고 말았다.

"최경굽니다. 잘 부탁드립니다." 노신사는 기계적으로 악수를 하며 고개를 꾸벅 숙이고는 뒤쪽 다른 사람에게로 발걸음을 옮겨갔다. 둘은 최 반장이 혹시라도 알아볼까 보아 정면으로 바라보지도 못하고 눈길을 그의 코와 입 언저리만 주시한 채 내리깔고만 있었다. 그는 예전의 날카로운 눈매에 마른 체격의 인상과는 딴판으로 바뀌어 있었다. 얼굴과 몸매에 적당히 살이 붙은 그는 눈매의 인상조차 부드럽게 풀어져 있었다.

둘은 선거사무소 앞을 황황히 지나쳐 빠른 걸음으로 사거리 오른쪽으로 꺾었다. 사거리 모퉁이를 지나 선거사무소가 보이지 않자 황급히 뒤따르던 동만이 목소리를 낮추어 "야, 독사 맞지!"라고 말하며 태주의 옆으로 바짝 붙었다. 태주는 얼른 고개를 끄덕였다. 이윽고 '어디 다방이나 들어가서 한숨 돌리자.'라고 속삭이고 나서 두리번거리며 다방 간판을 찾았다.

엉거주춤하니 들어와서 텅 빈 다방에서 일부러 구석진 자리를 찾아 앉는 그들을 보고는 괜히 우스운지 다방 아가씨는 엽차를 갖다놓고는 괜스레 말을 붙였다.

"아저씨들 이리 넓은 곳으로 나와요, 손님도 없는데…"

갑자기 쑥스러워진 그들은 사방을 둘러봤다. 태주가 '그냥 커피나 한 잔씩 갖다 주쇼.'라고 재빨리 주문을 하여 아가씨를 쫓아 보냈다. 아직 흥분이 가라앉지 않아 홍조가 남아 있던 동만은 "그 새끼는 그래도 살 만한 모양이야, 얼굴이 뽀얀 것이…"하고 한마디 뱉었다. 태주는 괜히 화가 나 이마에 밴 땀을 맨손으로 훔치며 허공을 향해서 욕을 했다.

"하필이면, 그 새끼 차가 그리로 올 줄이야 누가 알았어!" 딱히 누구 보고 들으라고 한 말도 아니었다. 동만이 심각하게 말을 건넸다.

"야, 그놈 옆에 있던 덩치 좋은 젊은 놈들, 무슨 정치 깡패나 그런 놈들 아니야."

"왜, 겁나?" 말은 그렇게 하였지만 태주도 은근히 독사 옆에 서 있던 덩치가 큰 청년들이 신경 쓰였다.

커피 두 잔을 쟁반에 받쳐 든 마담이 다가와서 '심심한데 옆에 앉아도 되죠?'라고 말하더니 대답도 듣지 않고 옆자리에 풀썩 주저앉았다.

"아가씨, 이번 시장선거 후보 중 누가 젤 인기요?" 태주가 무뚝뚝하니 물었다.

"그러고 보니, 선거 운동원들예요?" 되레 마담은 되묻는다.

"아니, 농담하지 말고 이야기해 보쇼." 태주가 퉁명스런 말투로 다시 물었다.

"글쎄? 사람들은 관심도 없던데 뭘"

"아니, 그래도 투표는 할 것 아니것소!" 조바심이 난 동만이 끼어들었다.

"음, 여기는 지금까지는 야당이 인기였는데, 지난번에 야당이 여당이 되었기 때문에 모르겠어요. 유세나 들어봐야 알지."

"유세! 언제요?" 동만이가 정색을 하며 다그쳤다.

"아마, 내일이라죠. 저기 중학교 운동장에서."

태주는 한 가닥 실마리가 잡히는 것 같았다.

"중학교 운동장이 어디요?"

"저기 아파트 뒤쪽으로 가면 나와요. 이곳 분들도 아닌 모양인데 왜 그렇게 관심이 많아요?" 눈치 빠른 아가씨라 둘의 행색만 보고도

외지 사람들인지 금방 알아차렸다.

"우리 친척 아저씨가 이번에 출마를 하셔서 조금 도와드리려고 그래요!" 수상하게 생각할까 싶어 태주가 말을 둘러댔다.

"어머, 그래요. 누군데요?"

"말하면 찍어 줄라요?"

"그럼요, 나도 한 표에요, 말투로 보면 여당 후보 편인데, 맞아요?"

아가씨는 이미 둘의 남도 말투를 눈치채고 있었다. 마침 손님이 다방으로 들어서자, 아가씨는 쪼르르 입구로 달려갔다.

둘은 괜히 찜찜하여 약속을 한 듯이 동시에 일어서서 나왔다. 입구까지 다방 아가씨가 배웅을 하면서 '또 오세요. 다음에 누구 후보편인가 알려줘요.'라고 생글생글 웃으며 말했다.

6.

여관에 들기 전에 동만이 앞장서서 들어간 곳은 가게였다. 술과 과일을 사면서 동만은 과도가 쌓여 있는 곳에서 한참을 서성거렸다. 칼은 하나같이 날카롭기 그지없었다. 다만 자루가 약하게 생겼다든지 칼날의 두께나 크기에 따라 조금씩 가격의 차이가 있었다. 칼을 이것저것 만져 보고 칼날을 손가락으로 튕겨 보더니 태주에게도 고르라는 듯이 손짓을 하였다. 태주는 접어지는 칼 중에서 자루가 손에 맞는 것을 골랐다. 동만은 과도와 술과 과일을 두 꾸러미로 만들었다.

동만은 일찌감치 씻고 침대에 기대 과일을 깎기 시작하였다. 태주는 씻고 나와 동만의 과일 깎는 모습을 한참이나 바라보다가 갑자기 동만이 손에서 칼을 뺐었다. 그리고 칼을 자루에서 펴서 이리저리 휘둘러 보다가 앞으로 내밀어 찌르는 시늉을 했다. 그러더니 이번에는 칼자루를 고쳐 잡고 위에서 아래로 찔렀다. 갑자기 태주가 동만을 바라보고 물었다.

"야! 칼을 어떻게 찔러야 되는 줄 알아?" 동만은 과일을 깎다 말고 태주를 바라보았다.

"칼을 위에서 아래로 향하여 찌르는 것하고 아래에서 위로 찌르는 것하고 어떤 것이 더 공격적이겠냐?"

"글쎄, 아무래도 위에서 아래로 찌르는 것이 더 무섭겠는디."

"웬만하면 다들 그렇게 생각할 거야, 그런데 사실을 그렇지 않아. 칼을 위에서 아래로 내려치면 공격받는 사람이 팔목을 잡아 방어를 할 수 있지만, 반대로 밑에서 위로 찌를 때는 칼날이 찔러 들어오기 때문에 방어를 할 재주가 없단 말이야. 그리고 칼을 손을 크게 휘두르는 반동으로 찔러야지 힘이 실리는 거야. 무작정 힘을 쓴다고 깊이 박히는 것이 아니야. 잘 봐. 이렇게…!" 태주는 위에서 칼을 내리칠 때와 아래에서 위로 찌를 때, 그리고 손을 둥글게 휘저어 반동을 크게 하여 찌르는 법을 설명하다 더욱 신이 나서 휘둘렀다. 그것은 모두가 다 터미널 근처에서 어수룩한 촌놈들에게 칼로 위협해서 푼돈이나 삥땅 치는 건달들한테 주워들은 이야기들이었다.

"야, 독사 이놈, 내 칼 맛 한 번 봐라! 너, 내일이면 끝장이다! 어디, 너도 한 번 해 봐. 네 같은 촌놈이 칼 쓸 줄이나 알아! 네가 최 반장을 어떻게 해보겠다고, 가소롭다, 가소로워!" 태주가 거울을 보고 휘저었다가 갑자기 뒤로 돌아 동만을 향해서 칼을 휘둘렀다.

"야, 그만, 그만 해!" 동만은 담요를 뒤집어쓰면서 소리를 꽥 질렀다.

"야!" 태주는 동작을 멈추더니 칼을 방바닥에 냅다 던져 버렸다. 그리고는 동만의 멱살을 움켜쥐어 흔들었다.

"야, 오동만, 이 새끼야. 너 미쳤지. 독사놈한테 할 말 있다고 하더니…! 이까짓 과일 깎는 칼을 가지고 뭣을 하려고! 너를 따라온 내가 미친놈이지." 동만을 침대에다 떠밀어 버리고는 술을 잔에 따라 벌컥벌컥 들이켰다.

침대에서 굴러 떨어진 동만이 벌떡 일어나더니 달려가 태주의 멱살을 움켜쥐었다.

"야! 이 새끼야, 너가 뭣을 알아! 언제 너가 수갑에 채여서 물 한 모금 제대로 못 먹고 철창에 매달려 봤어! 그것도 다 너 때문이야!" 태주의 멱살을 쥐고 흔들었다.

"그놈의 철창 소린 이제 그만해! 너만 한이 있어? 너만 그렇게도 억울해!" 태주도 동만의 손을 밀어부쳤다. 동만이의 손은 여간해서 풀리지 않았다.

"솥뚜껑 자식! 갈 테면 가! 언제 내가 너를 잡았어. 이 자식아 꺼져 버려!" 부아가 나는지 동만은 태주에게 잡힌 손을 빼내지 못하자 머리를 태주 가슴에다 처박고 악을 썼다. 태주가 동만의 머리에 가슴과 머리를 받쳐 쓰러지며 코피를 쏟았다. 코를 만지다가 피가 나오는 것을 안 태주가 동만을 침대로 밀어붙였다. 동만이 침대에 걸려 쓰러지고 말았다.

"이 새끼, 나 광주로 내려가겠어!" 태주는 주섬주섬 가방을 챙겼다. 쓰러졌던 동만이 천천히 일어나 침대에 걸터앉았다. 가방을 챙기는 태주를 물끄러미 바라보았다. 태주는 가방을 든 채로 나가버렸다. 동만이 벌떡 일어나 떠나는 태주를 잡으려다 엉거주춤하니 서 버리고 말았다.

태주는 여관 문을 나섰다. 시계는 자정이 가까워지고 있었다. 심야 버스는 아직 끊어지지 않았을 것이다. 그는 방금 뛰쳐나왔던 3층 방을 올려다보았다. 손님들이 성업인지 마치 복제한 듯 똑같은 형태로 만들어진 유리창에는 모두 불이 켜져 있었다. 방금 뛰쳐나온 방이 어딘지 분간하기 쉽지 않았다. 옥상에 있는 빨간색과 파란색이 주기적으로 점멸하는 간판만 눈에 띌 뿐이었다. 간판의 네온사인은 'ㄴ'자가 불이 들어오지 않아 '온천'인지 '오천'인지 불분명하게 번쩍이고 있다. 터미널과 가까워서인지 주변은 온통 여관이다. 겉으로는 말끔하게 단장이 되어 있지만 안은 우중충하고 지저분한 낡은 건물이었다. 저 멀리 커다란 터미널 건물이 보인다. 태주는 차마 발걸음이 떼어지지 않았다. 그는 몇 걸음 건너 '대실 1만 원, 숙박 2만 원'이라는 입간판이 서 있는 다른 여관으로 들어갔다.

태주는 잠을 이룰 수가 없었다. 동만이 슈퍼에서 칼을 바라보는 눈초리가 예사롭지 않았다. 동만이 독사를 칼로 어떻게 해 보겠다는 것을 처음부터 계획한 것인지, 아니면 그의 말 그대로 한번 따져 보려고 그런 것인지 감을 잡을 수가 없었다. 태주는 독사 멱살이라도 잡아서 따귀라도 때리려고 그러겠지, 라고 생각하고 따라나섰던 것인데…. 몸이 진창으로 점점 깊이 빠져드는 기분이었다.

7.

    태주는 오전에 동만이 있는 여관으로 찾아갔다. 동만은 일찌감치 방을 빼고 나가 버렸다. 태주는 유세가 열린다는 중학교로 갔다. 사람들이 삼삼오오 몰려들고 있었다. 동만을 찾으러 운동장과 건물 뒤편까지 샅샅이 뒤졌으나 그는 보이지 않았다. 혹시 모든 걸 체념하고 광주로 내려가지 않았을까, 라는 생각도 들었다. 그러면 다행이겠지만 그가 쉽게 포기할 것 같지는 않았다. 아마 어디에서 태주의 모습까지도 지켜보고 있을는지도 모를 일이었다. 후보들도 유세장으로 하나하나 들어와 수십명의 지지자들에게 둘러싸인 채 인파 사이로 악수를 하며 돌아다녔다. 독사도 검정 양복의 사내들에게 둘러싸여 유세장을 돌고 있었다.

    유세가 시작되었다. 유세 순서가 발표되었는데 독사는 다섯 후보 중 세 번째였다. 세 번째라면 운이 좋은 경우였다. 먼저 유세하는 후보가 청중들이 많이 있어 좋을 것 같지만 유세 내용에서 흠이 잡혀 나중 후보들에게 공격당하기 십상이었다. 반면에 나중에 하는 후보는 앞에서 유세가 끝난 후보들이 자신의 운동원과 지지자들을 모두 끌고 빠져나가 버려 유세장이 썰렁한 상태에서 유세를 하게 된다. 그래서 후보들은 중간쯤에 유세하기를 바라게 되고 그래서 추첨에서 처음이나 마지막으로 뽑히면 재수가 없다고 생각하는 것이다. 청중이라고 해야 할 일 없는 동네 노인들일 뿐 대개가 후보들이 동원한 운동원들이었기 때문이었다. 유세가 끝나면 후보는 마치 승리한 개선장군처럼 자신의 운동원들에게 헹가래를 당하거나 덩치가 큰 운동원의 어깨 위에 올라타서 유세장을 빙빙 돌곤 한다. 아니면 지지자들과 함께 유세장을 샅샅이 누비면서 악수를 해 댄다.

태주는 유세장 전체가 한눈에 보이도록 철봉과 모래판이 있는 운동장 한쪽 구석에서 나무그늘에 몸을 감추고 유세를 지켜보았다. 유세한다고 거들먹거리는 독사 꼴도 보기 싫었지만 동만을 찾아내기 위해서였다. 두 명 후보의 유세가 끝난 후 연단에 오른 독사의 연설도 끝이 났다. 연설을 끝낸 독사는 지지자들에게 둘러싸인 채 청중들과 악수를 하기 시작했다. 중앙의 연단 아래 오른쪽부터 악수를 하기 시작한 독사의 행렬은 작은 동심원을 그리며 운동장 외곽과 중앙을 교차하며 흘러 다녔다. 태주는 잔뜩 긴장하며 독사를 중심으로 한 동심원을 주시하였다. 어떤 이상한 조짐은 보이지 않았다. 악수 행렬이 연단의 북쪽을 지나 학교 정문의 중간쯤으로 이동할 때였다. 악수 행렬 근처에서 외마디 함성이 들렸다.

"이놈, 죽어랏!"

"저놈이 칼을 들었다, 잡아랏!"

순간 동심원이 흐트러지며 한 무더기의 인파가 나뒹굴기 시작했다. 사람들이 동심원 밖으로 빠져나가기도 하고 건장한 사복 차림의 사람들이 나뒹구는 인파 속으로 뛰어갔다. 태주는 직감적으로 동만이라는 생각이 들었다. 태주는 순간 어떻게 해야 하나 라고 망설였지만 동만을 구해내야 한다는 생각이 들었다. 태주도 동심원 속으로 뛰어들어 갔다. 사건 현장에 끼어드는 것은 어렵지 않았다. 하지만 싱겁게도 사건은 이미 끝나 있었다. 자그마한 체구의 사내가 두 손을 뒤로 결박 당한 채 쓰러져 있었다. 검정색 양복의 건장한 청년이 득의에 찬 표정으로 마치 전리품처럼 조그마한 과도를 거꾸로 잡아 흔들었다. 결박 당해 쓰러져 있는 사람은 동만이 틀림없었다. 동만이 칼을 잡고 독사를 향해 뛰어들었지만 호위하고 있던 청년들에게 순식간에 제압당한 게 분명했다. 태주는 더 이상 다가갈 수가 없었다. 그냥 지켜볼 수밖에 없었다.

경찰이 동만을 일으켜 수갑을 채웠다. 소동 때문에 순간적으로 유세가 중단되기도 했지만 다시 계속하겠다는 안내방송에 의해 네 번째 후보의 목쉰 소리가 운동장에 울려퍼졌다. 독사와 일행들도 언제 그런 일이 있었냐는 듯이 다시 동심원을 그리며 청중들 사이를 오가기 시작했다. 동만이가 정신을 차렸는지 수갑에 채인 채 절뚝거리며 경찰들에게 끌려 나갔다. 학교 정문 앞에 경찰차가 대기 중이었다. 경찰에게 양쪽의 어깨를 잡힌 동만이 차에 타자 경찰차는 출발했다. 태주는 터벅터벅 걸어서 유세장을 빠져나왔다. 그는 섬광을 번쩍이며 달리는 경찰차의 뒷모습을 바라보았다. 경찰차는 사이렌 소리를 울리며 점차 멀어져 갔다.

마지막 새벽

1

    어둠에도 등급을 매길 수가 있다면 지금 이 도시를 감싸고 있는 암흑은 몇 등급일까. 불빛 하나 없는 암흑에서 희뿌연 건물의 형체만 아스라이 드러난 도시는 마치 파장 난 시골의 장터처럼 스산하기만 하다. 불규칙한 직사각 모양으로 서 있는 빌딩들은 금방이라도 순식간에 무너져 내릴 듯이 버티고 있는 것조차 힘겨운 듯 보인다. 빌딩 사이의 허공으로 열려진 하늘도 멀리 각진 건물의 끝과 맞닿아 먹물 어둠의 짙고 옅음으로 지상과 하늘을 겨우 구분하고 있을 뿐이다. 때마침 뒤덮은 구름 때문인지 하늘에는 지금쯤 반짝거려야 할 별마저 보이지 않는다. 휑하게 비어 있는 아스팔트 도로는 빌딩 그늘에 가려 마치 절벽처럼 암흑에 묻혀 있다가 지나가는 시민군 순찰 차량의 헤드라이트 불빛에 간헐적으로 드러나곤 할 뿐이다. 이미 물을 뿜는 것을 포기한 대신 며칠간 많은 사람들이 올라와 소리치고 흥분하고 울부짖던 연단 역할에 충실했던 분수대는 고장 나 있는 커다란 로봇처럼 녹슨 송수관만 둥그렇게 두른 채 차가운 금속의 반사광만 내쏘고 있다. 분수대 저편으로는 마치 오래전부터 내내 그래 온 것처럼 움직이는 것이라곤 아무것도 없다.

어두워지면 도청 앞 광장과 시가지에 사람들 발길이 끊기기 시작한 것이 며칠째다. 엊그제부터는 도청 앞 철문을 사이로 아주머니와 총을 맨 청년 시민군이 실랑이를 벌이는 풍경이 자주 보이곤 했다. 도청에서 시민군으로 활동하는 자식을 찾아 집으로 데려가려는 부모들이었다. 계엄군이 광주에 진입한다는 소문이 돌던 어제부터는 도청을 찾는 부모들이 부쩍 더 많아졌다. 자식이 따라나설 때까지 아예 도청 정문 앞에 누워 꼼짝 않고 버티던 아주머니도 있었다. 결국 민원실 지하 무기고에서 경비를 서던 대학생 아들은 어머니를 따라 집으로 갔다. 그 아들 대신 그날 당직이 아니었던 신학대 학생이 경비를 섰다. 그 신학생은 군대에 갔다가 제대한 후 히틀러 정권에 반대하여 저항 운동을 펼쳤던 독일 신학자 본 회퍼 일대기를 읽고 목사가 되겠다고 늦은 나이에 신학대에 입학한 만학도였다. 가을에 결혼을 약속한 약혼녀가 있어서 저녁에는 귀가하였다가 아침에 도청에 나와 무기고 경비를 섰다.

일행은 스쿨버스를 분수대 광장에 주차하고 도청 안으로 들어갔다. 카빈총을 어깨에 메고 경비를 서던 정문 보초 시민군이 신분을 따지지 않고 오히려 수고한다는 말을 건네며 문을 열어 줬다. 서로 어느 정도는 얼굴이 익은 상태였다. 본관 1층 상황실 앞마당에는 몇 명의 시민군들이 총을 들고 이리저리 움직이고 있었다. 시내 어딘가로 출동하려는 기동순찰대원들이었다. 일행은 바로 며칠 전부터 식당으로 사용하고 있는 민원실 2층 강당으로 올라갔다. 이미 저녁밥 때가 지나서 그런지 식당에 사람들은 그다지 붐비지 않았다.

수백 명의 사람들이 하루 세끼씩 휩쓸고 지나간 식당은 널브러진 식탁들이며 미처 치워지지 못한 음식 자국들로 어지럽기 짝이 없다. 아래층 주방에서는 저녁 마지막 설거지가 한참이다. 아직 애티가 가시지 않아 여고생으로 보이는 여자 아이들과 젊은 아가씨들, 나이 지긋한 아주머니까지 열댓 명쯤이 모여 있다가 쟁반에 주먹밥과 김치를 가져다주었다. 아마도 늦게 들어오는 그들을 보고 오늘밤 식사의 마지막 대열쯤으로 생각하는 눈치였다. 시민군들이 이곳저곳을 돌아다니다 보면 밥 먹는 것을 잊어 먹기 일쑤였다. 그러다 식당에 들어와 음식 냄새를 맡으면 불현듯 배가 고파졌다. 그들도 식당에 들어서자마자 갑자기 배가 쓰리듯이 시장기가 돌았다.

"매번 감사합니다. 오늘도 고생 많으셨죠!"

"뭘 이까짓 것 갖고… 총 들고 다니는 총각들이 더 고생이지. 아이고, 이런 고생 백번 천번 해도 좋으니 군인들이나 얼른 항복했으면 좋겠소."

"그렇지요. 우리도 아줌마들이랑 똑같은 마음이어요."

"그런데 총각들 어디 밖에서 새로 들은 이야기 없소. 오늘밤 그놈들이 진짜로 쳐들어온다던가?"

상을 차려 주던 아주머니가 정색을 하면서 물었다.

"글쎄요, 우리도 정확히는 잘 모르겠어요. 어저께 아침 군인들이 탱크를 앞세우고 바리케이드를 넘어 농성동 한전 앞까지 쳐들어왔다가 수습위원들이 담판을 짓자 다시 철수했잖아요. 오늘은 군인들이 도청까지 쳐들어올 것이라는 소문이 무성해요. 그렇지만 어디 놈들이 그리 쉽게 들어올 수 있겠어요, 말만 그렇지."

"그렇지, 도청에 사람들이 이렇게 많이 버티고 있는데 어디 함부로 들어올 수 있겠어, 우리를 다 죽이고 들어온다면 몰라도. 그런데, 총각! 아까 상황실장이 밥 먹으러 와서는 하던 말이 맘에 짚인단 말이여! 오늘밤은 어쩔지 모르니까 일 끝나면 집에 들어갔다가 내일 아침에 나오라고 하더란 말이여. 오늘밤은 진짜로 그놈들이 쳐들어오는 걸까?"

"에이, 아주머니도. 혹시 그럴지도 모른다는 말이겠죠. 그 말 한마디 때문에 그렇게 신경 쓰셨다면 다른 사람 같았으면 벌써 애가 타서 죽어 불었겠소."

"하긴 그래. 놈들이 들어오려면 어저께 들어와 불었겠제. 이렇게 뜸 들일 필요 없이잉."

진우가 태평하게 대꾸를 했다. 긴장도 일상화되면 익숙해지듯 서로 다 천연덕스럽다. 오히려 지금은 곧 다가올 죽음의 공포보다 한 끼의 식사와 한숨의 잠이 훨씬 더 절실하다. 아주머니는 그래도 믿기 어려운지 고개를 절반쯤 끄덕거리며 주방으로 들어갔다. 종종걸음으로 걸어가는 아주머니의 뒷등이 동그맣다.

진우 일행은 며칠째 대학 통학 버스에 마이크를 달고 시내 중심가에서 변두리 주택가까지 돌면서 유인물 배포와 함께 가두방송을 하고 있는 중이다. 하지만 오늘은 평소와는 좀 다른 날이었다. 시간이 걸리더라도 시내 전 지역을 샅샅이 돌아다니며 방송해 달라는 본부의 특별 지시가 있었기 때문이다. 방송 내용은 '만약의 오늘 밤 비상사태가 발생하면 시민 모두 도청 앞 광장으로 집결해주십시오!' 라는 내용이었다. 그래서 홍보반원들은 시내 변두리의 주택가 골목 구석구석까지 돌아다니며 방송을 하였다. 그러다 보니 밤이 깊어져 때늦은 저녁을 먹게 된 것이다. 시내는 계엄군의 도청침공 디데이가 오늘밤이라는 소문이 무성하여 분위기가 뒤숭숭하였다.

"아이고 형님들, 식사 다 끝났으면 빨리빨리 우리 본부로 돌아갑시다. 여기가 우리 동네가 아니라고 몸이 편하지 않네요, 잉."

남수가 어리광을 피우듯 가자고 재촉을 했다. 아니나 다를까, 역시 정섭이가 금방 끼어들며 핀잔을 주었다.

"아따, 벌써 숙소로 가면 오늘 저녁 바깥 구경은 다 해 불어야! 배도 차고 하니 지휘본부에 들러서 민철이 형 얼굴도 보고 담배도 몇 갑 구해가지고 들어가자. 일찍 가봐야 보초 서는 일밖에 더 있냐!"

남수는 철물공장의 프레스공이고 정섭이는 신문사 지국 총무다. 둘은 동갑내기로 야학에서 만나서 공부는 물론이고 반장까지 서로 차지하겠다고 경쟁했던 사이다. 평소에도 장난이 심했다. 상황이 위급한 지경에 놓였다고 해도 그들의 장난을 막기가 쉽지 않을 것 같았다.

"그래 어떻든 좋다. 오늘은 비상상황이니까, 우리도 좀 더 신속하게 움직이자. 나하고 준호는 지휘본부에 들러 특별한 사항이 있나 확인해 보고 갈 테니까, 너희들은 먼저 홍보본부로 들어가거라."

진우가 말을 끊었다. 남수와 정섭이, 그리고 나머지 일행들은 아쉬운 듯 천천히 늦장을 부리며 식당을 빠져나갔다. 준호는 진우를 따라 청년들이 총을 메고 이리저리 오가는 복도를 지나 2층 지휘본부로 들어갔다. 지휘본부는 소란하기 그지없다. 무전기는 찍—찌이찍거리며 탁한 전신 음향을 연신 내뱉고 있고 전화기의 벨도 여기저기서 시끄럽게 울어대고 있다. 전화기 속에서 쏟아 내는 소식들은 대치 중인 지원동이나 화정동 어디쯤에 배치되어 있을 시민군들이나 주민들로부터 군인들의 움직임에 관한 제보들일 것이다. 낡은 마룻바닥에 회색의 칙칙한 시멘트 벽으로 둘러싸인 상황실은 무전기와 전화벨 소리 게다가 대원들의 상기된 목소리까지 뒤섞여서 야전 참호의 분위기를 자아내고 있었다. 준호는 덜컹거리는 나무 문을 거칠게 열어젖히며 총을 맨 채 들락거리는 시민군들의 발자국 소리조차 처음에는 신경이 쓰였는데 나중에는 긴장조차 느껴지지 않았다. 벽 한쪽에 서너 명의 청년들이 잔뜩 긴장된 표정으로 대기해 있는 것이 어제와는 다른 모습일 뿐이다.

메모지에 무엇인가를 적고 있던 민철의 얼굴은 표정이 없이 담담했다. 문을 열고 들어서는 진우 일행을 보자 민철의 얼굴에 미소가 번졌다.

"오늘은 많이 늦었구나. 고생한다. 자 담배 한 대씩 피고…"

담배를 꺼내던 민철은 이윽고 목소리를 낮추더니 속삭이듯 말을 시작했다.

"너희도 대강 분위기는 알겠지만 상무대 군인 사택 근처의 주민들이 '계엄군들이 오늘 밤 도청으로 쳐들어가려고 돼지고기 회식까지 시켜 줬다'라고 전화를 해 왔는데, 진행되는 국면에 비추어 볼 때 상당히 신빙성 있는 정보라고 판단했다. 그래서 현재는 본부와 각 거점의 경비를 강화하고 비상 전화를 계속 1시간 간격으로 교신하고 있다. 그러나 자정 이후 교신이 되지 않을 때는 계엄군들이 시내에 침투하면서 전화선을 끊은 것으로 간주하고 모두들 각자 위치에서 독자적으로 전투를 시작하도록 최후 명령까지 내렸다. 그러니 너희 홍보본부도 그렇게 따라야 한다. 우리 집행부 임원들 모두는 결사 항전하기로 결단을 내렸다. 오늘 밤만 넘기면 내일은 예비군 동원령을 내려 몇백 명 더 무장을 강화할 수 있으므로 계엄군이 쉽게 공격해 오지 못할 것이다. 참, 너희 홍보본부에 충원시키려고 낮에 모집된 자원자 중 몇 명을 대기시켜 놨으니까 이따 같이 데리고 가거라."

진우도 대략 예상은 하였지만 상황이 그렇게 절박하게 돌아가는지 몰랐다. 그들은 벽 옆에 얌전히 앉아 있는 청년들을 힐끗 바라봤을 뿐 아무런 말도 할 수가 없었다. 민철의 비장한 분위기에 압도되어서이기도 했지만 더 솔직히 말한다면 아직 세상 돌아가는 물정을 모르는 그들에게 '비상'이니 '전투' 같은 단어들은 감당하기 버거운 것이었다.

2

그들이 홍보본부에 도착하니 시곗바늘은 어느덧 자정을 향해 달리고 있었다. 대원들은 아직 취침 전이었다. 안쪽 널찍한 사무실은 이미 며칠째 대자보 작성과 헌혈 봉사자 모집을 담당하던 여자들 차지였고 바깥 사무실이 남자들 공간이었다. 진우와 준호가 들어서자 도청 소식이 궁금했던지라 모두들 우르르 모여들었다. 일행과 함께 온 세 명의 청년들만 제외한다면 다들 지금 며칠째 동고동락을 해 온 전우들인 셈이었다. 진우가 목소리를 높여 지휘본부에서 들었던 내용을 설명했다.

"여러분, 오늘도 고생이 많으셨지요. 그렇지만 오늘 밤이 고비인 것 같습니다. 방금 지휘본부의 윤민철 대변인으로부터 전달 받은 내용은 오늘 밤에 군인들이 쳐들어올 가능성이 높다는 것이었습니다. 모두들 계엄군이 쳐들어오면 싸우기로 했답니다. 우리 홍보반은 어떻게 하면 좋을까요? 본부의 결정을 따를까요? 아니면 지금이라도 해산할까요?"

갑자기 조용해졌다. 침묵이 흘렀다.

"우리도 본부와 보조를 같이해야 하지 않겠습니까!"

무거운 적막을 자르듯 순호가 또박또박 말을 뱉어냈다.

"순호 형 말이 맞는 것 같네요. 그리고 오늘 밤 놈들이 쳐들어온다고 확인된 것도 아니잖아요. 오늘 아침에도 그놈들이 쳐들어오다가 다시 물러갔잖아요."

남수가 당연한 것을 왜 묻느냐는 듯 퉁명스럽게 말을 뱉었다.

"그렇지, 오늘 밤 꼭 쳐들어온다는 것이 아니잖아. 가능성이 높다는 것이지."

누군가 혼잣말처럼 중얼거렸다.

"맞아요. 그렇게 해요. 아직 결정된 것은 아무것도 없잖아요!"

뒤쪽 구석에서 여자의 음성이 들렸다. 그러자 여기저기에서 '맞아요, 맞아!'라고 동감을 표하는 발언이 튀어나왔다. 그것이 신호라도 되듯 사람들은 웅성거리기 시작했다. 그것으로 회의는 끝이었다.

정문과 이층 유리창 쪽으로 먼저 서너 명이 보초를 섰다. 두 시간

간격으로 교대하기로 했다. 여자들은 안쪽 사무실로 들어가고 나머지 사람들은 의자와 바닥에 담요를 깔고 눈을 붙였다. 전등이 꺼지고 촛불이 켜졌다. 유리창에는 담요를 겹으로 둘러 빛이 새어 나갈 염려는 없었다. 며칠째 밤마다 했던 일이라 이미 익숙해 있던 참이다. 상황실에서 데리고 온 청년들은 담요를 덮고 누워 있지만 자꾸만 몸을 뒤척거렸다. 눈을 감고 있지만 잠을 못 이루고 있는 것이 분명했다.

며칠째 그곳에서 밤을 새웠지만 취침 시간을 정하여 잠을 자기는 사실 오늘이 처음이었다. 어제까지만 해도 투사회보, 차량 홍보, 대자보 등 각 역할을 맡은 사람끼리 각자 공간을 나누어 따로따로 생활하였다. 처음으로 전체가 규율을 정해 활동을 시작한 날이었다.

"아참, 오늘 도청에 들어오신 분들, 지금 이렇게 위험한 상황인데 어떻게 도청에 들어올 생각을 하게 되었나요?"

새로 온 세 명의 청년들을 보고 진우가 물었다. 꼭 누구를 지목해서 묻는 것은 아니었다. 그러자 마른 체구의 짧은 곱슬머리 청년이 천천히 일어서며 대답을 했다.

"저는 대학생은 아닙니다. 재수생입니다. 그러나 19일부터 대학생들을 따라 시위를 같이 했습니다. 그러다 동구청 앞에서 공수대원에게 쫓기다 골목으로 숨어들어 가정집 담을 넘어 겨우 피신했습니다. 죽을힘을 다해 뛰어서 겨우 도망쳤죠. 그 뒤로 겁을 먹고 내내 집에 숨어 있었죠. 어제 처음으로 시내 나와서 시민궐기대회에 참여했어요. 그리고 오늘 궐기대회에서 시민군을 모집한다고 해서 YMCA에 모여 있다가 도청으로 들어왔어요. 그동안 제가 집에 숨어 있는 동안 별 생각이 다 들더군요. 마치 누군가가 '너는 비겁한 놈이야, 비겁한 놈!'이라고 내 귀에 대고 소리치는 것 같았어요. 어제 궐기대회에 참가했다가 이렇게 시민군으로 합류하게 되니 지금은 마음은 무척 편합니다."

청년은 잠시 뜸을 들이더니 작심한 듯 계속 말을 이었다.

"사실 저는 교회 청년회 활동을 하고 있습니다. 우리 교회 청년회는 여러 가지 클럽이 있는데 저는 그중 〈한알〉이라는 성경을 공부하는 모임에 나가고 있습니다. 모임 이름 '한알'은 유명한 함석헌 선생님의 "한알의 소리"라는 잡지의 제목에서 따온 것입니다. 밀알 한알이이 땅에 떨어져 뿌리를 내리고 꽃을 피워 또 씨를 맺게 되면 수십 수백 개의 밀알을 만들어 내듯이 우리들도 그런 밀알 한 톨이 되자는 취지에서 만들어진 모임입니다. '한알', '한올', '한아름', '한우리', 다 비슷비슷한 말로 우리 젊은이들이 모두 모여 하나의 공동체를 만들면 더 맑고 밝은 세상을 만들 수 있다는 그런 믿음을 가지고 만들어진 모임입니다. 19일 이후 집에 내내 숨어 있는 동안 나를 괴롭혔던 것은 어쩌면 그 '한알'이라는 단어였던 것 같습니다."

곱슬머리의 청년은 눈을 깜박거리며 며칠 전을 회상하듯 느리게 말을 맺었다. 실내는 잠시 숙연해진 듯싶었다. 약간의 정적이 흘렀다. 그 정적을 깬 것은 의외의 인물이었다. 그는 곱슬머리와 함께 도청에서 왔던 3명의 청년 중 다른 1명이었다. 얼굴은 하얗고 맑은 빛에다가 입술이 가늘고 곱게 생긴 속에 가지런한 치아의 용모로 마치 앳되고 해맑은 여자아이처럼 느껴지는 청년이었다.

"방금 이분이 하신 말이 너무나 제 경험과 비슷하여 저도 모르게 이렇게 말이 튀어나오는군요. 저는 대학교 1학년 학생입니다. 그러나

종교는 갖고 있지 않습니다. 저도 5월 18일부터 21일까지 시위에 적극적으로 참여했습니다. 그런데 군인들이 진짜 실탄을 장전해서 우리 시민들을 향해 쏘아 댈 때 너무나 무섭고 놀라서 그 이후 집에 계속 숨어 있었습니다. 하지만 집에 내내 숨어 있는 동안 너무나 괴로웠습니다. 무슨 종교적 느낌의 가책이나 암시 같은 것은 아니었습니다. 그동안 시위에 참가하면서 열심히 외쳤던 내용들이 집에 숨어 있는 동안 다 사라져 버릴 것만 같았습니다. 그것이 나 자신을 못 견디게 했습니다. 저도 사실 오늘 도청에 들어와 시민군으로 합류하고 나니까 마음이 홀가분합니다."

흰 얼굴의 청년이 말을 마치자 분위기는 더욱 숙연해진 채, 그러나 모두의 가슴 저 밑바닥으로부터 형언하기 어려운 따뜻한 기류들이 전신으로 퍼지는 느낌이었다. 사회자 역할을 해 온 진우가 분위기를 바꾸려는 듯 말머리를 돌렸다.

"참 오늘 처음 참여하신 분들께 변변한 소개할 시간도 갖지 못하다가 잠자리에 들어서야 이렇게 대화 자리가 마련이 되었네요. 상황이 너무 급하게 흘러가다 보니 서로 인사할 경황이 없었던 것입니다. 자 늦었지만 서로 인사라도 합시다. 저는 최진우라고 합니다. 대학교에 다니는 3학년 학생입니다. 우리 홍보본부는 투사회보, 대자보, 차량홍보, 궐기대회 행사 진행 등의 활동을 맡아 하는 팀입니다. 여러분과 오늘 이렇게 만나게 된 것도 인연인 것 같습니다."

진우의 비위 좋은 말에 모두들 엷게 미소를 띠었다. 이어서 "나는 투사회보 등사를 하고 있는 박인철이라고 합니다, 가만히 이야기를 들으니 당신들은 다 대학생들인 것 같은데, 나는 고아출신으로 조그만 회사의 수금사원입니다. 당신들은 여기에서 죽으면 시체라도 찾아다가 묻어 주고 울어 줄 가족이 있지만 나는 그럴 사람도 없어요. 아무튼 반갑습니다." 인철이가 어색한 표정으로 고아임을 밝히며 인사하고 나자 준호 차례가 되었다.

"저는 최준호라고 합니다. 현재 대학 2학년 학생입니다. 두 분 이야기를 들으니 참 감회가 새롭습니다. 저는 18일부터 시위에 계속 참여했습니다. 그러다 24일부터는 이곳 홍보본부에서 활동을 하고 있습니다. 여러분, 계엄군이 공격할 거라는 소문이 계속 나도는 데도 모두들 집에 가지 않고 이렇게 도청에 남아 있다는 것은 정말 대단히 용기 있는 행동이라고 생각합니다. 반갑습니다."

이어서 순호가 일어나서 짧게 자기소개를 하였다.

"안녕하세요, 저는 공장에서 금형을 만드는 노동자입니다. 지금은 투사회보 팀에 속해 있습니다."

"저는 고등학교 3학년 이철희입니다. 형님들, 제발 집에 가라는 말은 하지 마세요. 집이 장성인데 버스가 끊겨서 갈 수도 없어요."

한동안 자기소개가 계속되었다. 젊은 청년들의 의기란 이런 것일까. 공수부대원들에게 쫓기며 벌여 온 며칠간의 시위, 갑작스럽게 총을 쥐고 벌인 전투, 광주를 빠져나간 계엄군들, 그 후 승리를 지속하기 위한 광주 내부 공간의 자치활동, 화순, 담양, 장성, 나주 등까지 퍼져 나갔던 교통로가 점차 끊기면서 외곽에서부터 포위해 들어오고 있는 계엄군, 군인들이 시내로 계속 죄어들어 온다는 속보들, 이런 긴박한 상황 속에서 얼마 만에 맛보는 인간애인가! 촛농이 녹아내리며 만들어 내는 노란 불꽃과 담요를 반쯤 덮은 채 책상다리로 앉아 인사를 나누는 십여 명의 청년들이 만들어 내는 분위기는 세상과 절연된 채 그들만의 공간에 있는 듯한 착각을 일으킬 정도였다.

3

밤이 깊어 가자 하나 둘 잠이 들기 시작했다. 사회를 보던 진우는 며칠째 제대로 쉬지도 못하면서 홍보팀을 이끌어 왔지만 아직도 기력이 남아 있는지 고등학생 철희와 오늘 처음 시민군으로 도청에 들어온 청년들을 상대로 속사포처럼 신나게 말을 쏟아 내고 있었다.

"저 남미의 볼리비아라는 우리나라의 충청북도처럼 바다가 없는 나라가 있습니다. 그곳에서 체게바라라는 젊은 혁명가가 군인들에게 밀림에서 잡혀 처형되었습니다. 체게바라는 쿠바에서 카스트로를 도와 쿠바혁명을 성공으로 이끈 주역입니다. 혁명이 성공한 후 카스트로는 게바라에게 쿠바에 남아 정치 개혁을 함께하자고 권했는데 이를 뿌리치고 남미 대륙 전체를 혁명으로 해방시켜야 한다고 대륙의 중심에 있는 볼리비아로 날아갔습니다. 볼리비아는 남미 대륙에서 밑으로는 칠레와 아르헨티아, 옆으로는 페루와 우루과이, 위로는 브라질의 5개국과 연해 있어서 이론상으로는 볼리비아가 혁명에 성공한다면 인접 5개국으로 혁명 수출이 가장 용이한 나라이기는 하지요, 하지만, 단점으로는 인접 바다가 없기 때문에 육로를 차단당해 버리면 물자수송은 물론이고 퇴로까지 차단당해 꼼짝없이 전멸을 당할 수밖에 없는 그런 지형이기도 합니다. 결국 게바라는 볼리비아 정글에서 미국의

CIA와 정규군에게 쫓겨 다니다 체포되어 처형되었다는 이야기가 있습니다…"

진우 특유의 '체게바라 남미 혁명론' 강좌가 또 시작된 것이다. 다른 사람들은 신기하고 흥미있게 들릴지 모르지만 준호는 벌써 세 번째나 들었던 터였다. 체게바라라는 비쩍 마른 몸매의 수염이 더부룩하게 자란 카키색 군복의 서양인 얼굴이 자꾸 어른거리며 준호는 어느새 잠의 나락으로 떨어지고 있었다. 꿈인지 생시인지 체게바라라는 서양인이 미국 군복의 군인들에게 체포되어 나무에 묶인 채 총살당하는 장면이 뇌리를 스쳐지나가면서 점차 의식이 희미해져 갔다.

5월 21일 군인들이 시내에서 철수한 이후, 그간 도청에는 졸속으로 구성된 지도부가 '항전'과 '투항'이라는 상반된 두 가지 의견으로 갈리어 변변한 대응조차 하지 못했던 상황이었다. 너무도 갑작스레 진전된 상황에서 시민들의 통일된 의견을 모으기가 어려웠을 뿐 아니라 계엄군이 파견한 첩자들이 도청 안에까지 침투해서 방해 공작을 하였기 때문이다. 그래서 어제까지 닷새 동안이나 예비군 동원은 물론이고 청년 조직조차 제대로 가동시키지 못했던 것이다. 그러나 그동안 두 갈래로 반목하고 있던 투쟁파와 투항파가 25일 오후에 극적으로 통합함으로써 '민주투쟁위원회'라는 어엿한 지도부가 출범했던 것이다.

각고의 어려움 속에 탄생된 민주투쟁위원회는 그동안 미루어 놓았던 산적한 과제를 하나씩 풀어 가기 시작했다. 26일 낮에 기동타격대를 조직하고 오후에 외신기자회견을 가졌다. 기자회견은 그동안 광주에서 벌어진 며칠간의 참상을 세계 각국의 기자들에게 직접 폭로

함으로써 현 정부에 압력을 가하자는 의도로 처음 열렸다. 27일부터는 동별 주민들의 비상 연락 체계와 예비군 조직도 동원하기로 계획되었다. 도청 지휘본부와 상황실, 타격대와 보급반, 기타 치안과 장례를 집행할 부서를 정비하고 홍보본부도 YWCA회관에 상주하도록 하였다. 그동안 자발적으로 차량 방송과 투사회보 제작, 대자보 작성 등 선전활동을 담당했던 극단 광대와 송백회, 들불야학 팀들은 홍보본부에 배속되어 도청과 YWCA회관을 오가며 활동을 하게 된 것이다.

그러나 만약에 오늘 밤 계엄군이 진입한다면 사실 시민군들은 크게 반격하지 못한 채 격퇴당하고 말 것이다. 시민군들이 가지고 있는 무기는 너무 열악했다. 총이라 해도 낡은 카빈소총과 구식 M1 소총이 전부다. 그나마 대부분 예비군 무기고에서 노획된 것들로 정비 불량이거나 이미 고장 나서 제대로 작동되지 않았다. 게다가 시민군이라고 해야 아직 군대도 가지 않은 어린 노동자이거나 대학생, 고등학생이거나 생업에 종사하고 있던 주민들로 사격은커녕 방아쇠도 제대로 당길 줄 모르는 상태였다. 그런데 시민군들이 상대하고 있는 적들은 어떠한가. 그자들은 어엿한 대한민국 정규군으로서 고도의 살상 무기인 M16 자동소총으로 무장한 특수부대 공수특전단과 20사단 군인들이었다. 그들이 거기에 전차나 헬리콥터까지 동원하여 앞세우고 진격해 온다면 시민군들이 일거에 패배할 것은 눈에 불 보듯이 너무도 명확한 이치였다. 냉철하게 현재의 조건을 따져 보면 죽음이 바로 눈앞에 있다는 사실을 부정할 수 없었다. 준호도 이제야 죽음이라는 단어가 실감이 나며 손끝에 만져지는 느낌이었다.

21일 오전이었다. 도청 앞 분수대 광장에서 무장을 한 공수대원들과 금남로에서 수만 명의 시민들이 대치를 하던 날이었다. 20일 밤에 광주역에서 군인들의 총에 맞아 머리가 부서지고 복부에 피가 맺혀 있는 두 구의 시신이 수레에 실려서 금남로를 순회하고 있었다. 준호는 몰려들던 인파를 헤치며 간신히 가까이 접근해 그 흉한 시신을 봤을 때도 참혹하다는 느낌은 있었지만 그다지 심하게 놀라지 않았다. 그랬던 그가 시신이 있던 자리에 불현듯 자신이 눕혀져 있는 모양과 겹쳐 보이며 이제야 죽음이란 단어가 가슴에 와 박히는 것이었다. 준호는 정작 도청 앞 상무관에는 육십여 구의 시신이 안치되어 있는데도 유독 그 시체만이 가슴에 떠오른 이유를 알 수 없었다.

도청 2층 지휘 본부에서 민철은 머릿속으로 상황을 정리해 보고 있었다. 자정이 넘어가도록 시내 외곽을 돌고 있는 기동순찰대로부터는 계엄군의 동향에 대해서 별다른 소식이 없었다. 어제 오후 계엄군 지휘관들과 상무대에서 협상을 하다 돌아온 김성룡 신부와 홍남순 변호사가 뱉어대던 말이 떠올랐다.

"그놈들이 오늘 밤에는 반드시 쳐들어온다고 합니다. 우리한테 대놓고 공표하듯이 말합디다, 뻔뻔스러운 놈들이여!"

대표위원 두 분은 기가 막힌다는 듯이 머리를 옆으로 흔들어대며 혀를 끌끌 찼다.

민철은 어쩌면 오늘 밤도 무사히 넘어갈지 모르겠다는 생각이 들었다. 아니, 마음속으로 절실하게 원하는 바람이었다. 그렇지만 이제 자정을 갓 넘겼으니 동이 트려면 아직 한참이었다. 그는 대변인실 앞 복도로 나가 유리창을 열고 밤하늘을 쳐다보았다. 자정이 지난 도청 밖은 두려움과 불안으로 마음이 무거운 시민군들의 심사 따위는 아랑

곳없다는 듯이 초여름 밤의 자태를 뽐내고 있었다. 찰나, 온갖 생각이 뇌리를 스치고 지나갔다. 재작년에 사고로 먼저 쓰러져 간 박기순 강학, 지금도 YWCA에서 투사회보를 열심히 찍어대고 있을 인철이, 순호, 남수, 영란이, 어디에 숨었는지 소식이 없는 박관현 학생회장, 임곡 고향집의 어머니, 아버지, 여동생들….

새벽 2시쯤 상황실에서 외곽지역 순찰대원들에게 전화를 해서 계엄군 동향을 점검하기 시작했다. 그때쯤부터 계엄군의 움직임이 순찰대의 시선에 잡히기 시작했다. 지원동, 서방, 농성동, 백운동 쪽에서 대규모의 병력이 어둠 속에서 이동하고 있다는 무전이 들어오기 시작했다. 상황실장이 비상을 때렸다. 그동안 제대로 눈도 붙이지 못했던 터라 사람들은 대부분 아무 곳에서나 이리저리 누워서 자고 있었다. 사방에서 코 고는 소리가 진동했다.

"비상이다! 비상이다! 계엄군이 쳐들어오고 있다!"

갑자기 '비상! 비상! 비상!' 이라고 외치는 소리가 도청 밤공기를 갈랐다. 도청 안 여기저기에서 비상이라는 소리에 잠에 깬 사람들이 부산하게 움직이기 시작했다. 청년위원장은 가두방송차를 내보내서 시민들에게 알려야겠다고 생각했다. 재빨리 문안을 작성하여 상황실로 보냈다. 마침 상황실에는 가두방송 한 팀이 그날따라 귀가하지 못하고 쉬고 있던 참이었다. 가두방송 팀은 스피커가 달린 차에 운전수 1명, 원고를 읽을 사람과 스피커 등 음향 기계를 조작하는 사람 등 최소 3명으로 조를 짜서 움직였다. 여성들의 목소리가 호소력이 있었기 때문에 원고를 읽는 사람은 대개 여성으로 선발해서 배치했다. 그날 상황실에 남아 있던 가두방송반은 충장로 음악다방에서 음향 기계를 조작하면서 DJ를 하던 청년과 대학 다니면서 국악 공부하던 여학생으로 구성된 팀이었다. 둘은 가두방송 차를 타고 방송하라는 지시가 있었지만 군인들이 밀려들어 온다는데 차를 타고 길거리로 나갈 엄두가 나지 않았다. 어쩔 수 없이 상황실 안에 설치되어 있는 도청 옥상 스피커로 연결되는 방송을 시작했다.

"시민 여러분, 시민여러분, 지금 계엄군이 쳐들어오고 있습니다. 사랑하는 우리 형제자매들이 계엄군의 총칼에 죽어 가고 있습니다. 우리 모두 일어나서 계엄군과 끝까지 싸웁시다. 우리는 최후까지 싸울 것입니다. 우리는 광주를 지키고야 말 것 입니다. 광주 시민 여러분 우리를 잊지 말아 주십시오. 우리는 최후까지 싸울 것입니다. 시민 여러분, 지금 계엄군이 쳐들어오고 있습니다."

낭랑한 여성의 목소리는 도청 옥상의 동서남북 네 방향으로 퍼진 고성능 스피커를 타고 시내 전역으로 퍼져나갔다. 애절한 목소리는 동쪽으로는 학동과 지산동, 북쪽으로는 산수동과 풍향동, 계림동, 서쪽으로는 금남로를 넘어 유동까지, 남쪽으로는 사동을 넘어 백운동까지 울려 퍼졌다.

4

꿈속에서였을까? 준호는 정글 속에서 M16 자동소총을 들고 카키색 군복을 입은 채 어딘가 밖으로 나아가는 일단의 대열에 합류해 있었다. 대열은 몇 명이 채 되지 않은 낙오병들이었다. 모두들 지쳐 있었다. 대열의 맨 앞쪽에는 더부룩한 머리와 수염의 서양인이 가고 있었다. 지도자인 듯싶었다. 준호는 그 사람이 어디에선가 본 듯했지만 도저히 이름이 떠오르지 않았다. 그 사람은 뒤를 돌아보며 뭐라고 외치며 앞으로 서둘러 가기 시작했다. 대열들도 걸음을 빨리하여 달리기 시작했다. 선두의 그 서양인은 더욱 빨리 달렸고 그 뒤를 따라 사람들이 급히 달렸다. 준호도 서둘러 따라갔다. 그러다 언덕을 넘어서면서 그만 준호는 옆으로 굴러 넘어졌다. 그는 대열에 합류하기 위해 다시 일어나 급히 발길을 내딛었다. 그러나 준호의 발걸음이 앞으로 나가질 않았다. 준호는 자꾸만 헛발질이 되면서 대열에서 점점 멀어져 갔다. 준호는 앞의 대열을 향해 멈추라고 소리를 질렀다. '멈춰! 멈춰라! 아, 아, 아…' 멈추라는 소리를 질러대는데 누구 하나 돌아보지 않고 점점 더 멀어져만 갔다. '야! 야! 멈추란 말이야…' 이제는 목에서 소리도 나오지 않았다. 온 몸은 누군가에게 결박당한 듯이 답답하며 움직일 수도 없다. 그때 어디선가 마이크 소리가 들려왔다.

"시민 여러분! 시민 여러분! 지금 계엄군이 시내로 쳐들어오고 있습니다. 시민들께서는 지금 모두 도청 앞 광장으로 나와 주시기 바랍니다. 시민 여러분, 시민 여러분 …… "

준호는 그 소리가 잠결에 들은 것인지 생시에 들려오는 소린지 구분이 되지 않았지만 순간적으로 정신이 번쩍 들며 눈을 떠졌다. 찢어질 듯 외치는 여자의 목소리는 계속 반복되면서 귓속으로 파고들었다. 잠이 아직 덜 깨어 비몽사몽 상태였지만 '아, 계엄군이 마침내 시내로 진입해 오고 있구나'라는 생각이 번뜩 들었다. 순식간에 잠이 말끔히 가시고 말았다. 말로 형언하기 어려운 공포가 머리와 가슴 그리고 손끝 발끝까지 일시에 전류가 흐르듯 느껴지며 온 몸에 오한이 몰려들었다. 이가 딱딱 마주치면서 손발이 떨리고 마침내 얼굴 근육까지 경련하기 시작했다. 머릿속도 희뿌연 연기가 가득 찬 듯 흐릿한 상태에서 무엇인가 섬광과 같은 수많은 조각들이 화살처럼 빠르게 스치며 떠다니고 있었다.

시위를 하더라도 총 들고 도청에 들어가지 마라며 한동안 팔을 잡고서 놓지 않던 어머니, 옆에서 그 모습을 보면서 눈물 흘리며 울고서 있던 여동생들, 5월 16일 저녁 분수대에서 성대하게 치렀던 횃불 행진, 다정하게 지냈던 동아리 후배들, 지난 봄, 당돌하게 먼저 다가와 사귀자고 고백했던 후배 여학생, 찰나에 온갖 기억의 조각들이 뇌리를 떠돌고 있었다.

준호는 '내가 이렇게 약해 빠진 사람인가'라는 생각이 들었다. 그는 정신을 차리기 위해 스스로에게 말을 걸었다. '이렇게 떨면 안 된다. 자, 심호흡을 하자'라고 중얼거리며 호흡을 길게 내쉬었다. 두 손으로 가슴을 X자로 감싸듯 어깨를 잡고 숨을 멈췄다가 팔을 벌리면서 숨을 내쉬는 동작을 반복하였다. 차츰 몸이 진정되기 시작했다. 잠바를 걸치고서 총을 챙겨 든 후에야 겨우 안정이 되었다. 비로소 계엄군이 정말로 쳐들어오고 있다는 느낌이 들었다.

계엄군의 공격을 알리는 방송 소리에 여기저기에서 잠을 자고 있었거나 경비를 서던 사람들이 앞마당으로 모여들었다. 순식간에 사오십 명을 넘는 사람들로 마당이 가득 찼다. 총을 들고 경비를 서던 고등학생들, 뒷방에서 투사회보를 찍던 들불야학 학생들, 전날 오후에 열렸던 제5차 시민궐기대회를 평가하고 오후에 열기로 한 제6차 궐기대회 계획을 짜 놓고 한숨 자고 있던 극단 광대 단원들, 대자보를 붙이고 모금과 헌혈할 사람들을 모으러 다니던 송백회 회원들과 여성 노동자들과 그 전날 모여든 청년 학생들이 잠을 자다가 뛰쳐나왔다. 여자들도 족히 열댓 명은 되었다. 황망하게 모여든 사람들은 당장 무엇을 해야 할지 몰랐다. 사람들은 몇 시간, 아니면 몇십 분 후에 들이닥칠 알 수 없는 그 어떤 것에 대한 불안과 공포로 아무 말도 없이 서로 얼굴만 바라볼 뿐이었다.

사람들 속에서 강당 쪽으로 걸어 나온 진우가 차분하게 가라앉은 목소리로 이야기를 시작했다.

"도청 지휘본부와 전화는 끊겼습니다. 방금 들렸던 소리는 도청 상황실에서 우리 여자 대원이 했던 방송입니다. 기어이 계엄군들이 시내로 쳐들어오고 있습니다. 여러분 우리는 어떻게 하면 좋겠습니까? 의견을 내주십시오."

잠시 침묵이 오갔다. 투사회보 팀의 곱슬머리 청년이 손을 들고 이야기했다.

"어제도 새벽에 계엄군이 화정동에서 진입을 시도하다 수습대책위원들과 시민들이 막아 결국 돌아간 적이 있었잖아요. 신부님, 변호사, 어른들이 농성동 앞 도로에서 군인들과 대치하다 쳐들어오려면 먼저 죽이고 가라며 길바닥에 눕자 물러나지 않았습니까! 오늘도 공격하다가 날이 밝아 오면 퇴각하지 않을까요?"

모두의 바람과도 같은 말이었다. 사람들 무리의 중간에 총을 메고 있던 청년이 손도 들지 않고 톡 쏘듯이 말을 내뱉는다.

"어제는 날이 훤한 아침이었고, 오늘은 지금 캄캄한 새벽 3시여, 그러면 결론은 뻔한 것이지, 무슨 꿈같은 이야기여, 잔말 말고 총이나 하나씩 나눠 갖고 경비나 철저히 서야 해. 살아도 함께 살고 죽어도 함께 죽는 것이지 뭐…"

잠시 침묵이 공간을 갈랐다. 진우가 다시 발언을 하였다.

"여러분 이제 우리가 취할 수 있는 행동은 두 가지 중 하나라고 생각합니다. 하나는 모두들 생명의 안전을 위하여 피신을 하는 것입니다. 다른 하나는 총을 들고 계엄군이 물러날 때까지 투쟁을 하는 것입니다"

장내는 작은 숨소리 하나 없이 조용했다. 이어서 진우가 말을 계속했다.

"지금 쳐들어오는 군인들은 대한민국 정규군입니다. 게다가 장갑차와 헬리콥터와 공수부대까지 있습니다. 우리에게는 예비군 훈련장에서 견본용으로 쌓아 둔 낡은 구식 총이 있을 뿐입니다. 전투라면 이건 싸움이 되지 않습니다. 그러나 우리 뒤에는 지켜보고 있는 수많은 광주시민들이 있습니다. 저들이 우리들 생명을 하나씩 앗아갈 때마다 그만큼의 대가를 언젠가는 치러야 할 것입니다. 총을 들고 싸웁시다. 다만 여자들과 고등학생들은 지금 바로 피신을 시킵시다!"

잠시 침묵이 흐른 후 통바지에 머리를 묶어 내린 여자가 손을 들어 이야기를 했다. 어제 궐기대회 마지막 부분에서 노래 지도를 했던 음악대학 학생이었다.

"싸우려면 함께 싸웁시다. 왜 여자라고 총 못 쏩니까? 우리도 가르쳐 주면 그대로 할 수 있습니다. 지금 여러분들과 함께 동고동락한 지가 벌써 며칠째입니까. 그런데 제일 중요한 시간에 여자들만 빠져나가라는 겁니까!"

그러자 한쪽에서 고등학생이 볼멘소리로 투덜댔다.

"우리 고등학생들도 마찬가지입니다. 우리도 형님들과 함께 싸울수 있습니다. 교련 시간에 기본 총검술도 다 배웠단 말이에요. 나는 죽어도 못 나가요, 한 발도 못 움직입니다 …."

장내는 숙연해지며 처연한 분위기로 가득 찼다. 진우가 수습을 하듯이 결론을 내렸다.

"자 시간이 없습니다. 지금 총도 부족합니다. 여자들하고 고등학생들은 여러 사람들의 의견에 따라 피하는 것이 좋겠습니다. 지금 길게 이야기할 시간이 없습니다. 피신하는 것도 쉽지 않습니다. 거리에 잠복해 있는 군인들에게 먼저 사살될 지도 모르는 상황입니다."

그때 어디 멀리에서 총소리가 아득하게 들려왔다. '두두둑 두두둑' 하고 연발로 쏘아대는 총소리에 이어 '다탕 다탕' 하는 단발성 총소리도 들리기 시작했다. 계엄군이 쏘아대는 M16 자동소총 총소리는 '두두둑 두두둑'이고 시민군의 M1 이나 카빈총이 내는 소리는 '다탕 다탕'이었다. 진우가 다시 단호하게 말을 끊었다.

"여러분 많은 의견이 나왔습니다. 지금 여기 계신 우리 모두의 심정은 똑같습니다. 모두 함께 싸우고 싶은 심정입니다. 지금 이 시간에 도청과 YMCA와 광주공원과 시내 외곽에 우리 시민군들이 포진해 있습니다. 우리들이 가지고 있는 화력은 보잘것없습니다. 그러나 우리 뒤에는 민주주의와 정의를 염원하는 수많은 응원군인 국민이 있습니다. 오늘 밤 싸움에서 우리는 승리할 수 있습니다. 계엄군이 비록 적이지만 같은 국민입니다. 그들이 같은 국민인 수백명 광주 시민군 모두를 죽이고 시내로 들어오지 못할 겁니다. 여자들과 고등학생들은 피신을 해주십시오. 단 몇 시간입니다. 아침이 되어 우리가 살아남아 승리를 하게 되면 분수대에서 또다시 승리의 시민대회를 열어야 되지 않겠습니까! 그럴 때 여러분들이 다시 나오셔서 행사를 진행해 주셔야 되지 않겠습니까. 고등학생 동생들도 마찬가지입니다. 제 이야기를 결론으로 맺고 따라 주었으면 좋겠습니다."

"옳소!", "맞습니다, 그렇게 합시다!"

여기저기에서 동의하는 말들이 이어졌다. 앞에 함께 투쟁을 하자고 발언을 했던 음악대학 여학생이 다시 말을 하였다.

"알았습니다. 여러분 모두의 뜻이 그러신다면 저희들은 잠시 피신을 하겠습니다. 여러분, 우리가 승리하겠지만 혹시라도 전투가 격렬해지더라도 목숨만은 꼭 보존해야 합니다. 저희들은 마음속에서라도 여러분 곁을 지키고 있겠습니다. 반드시 이겨서 아침에 분수대에서 다시 만납시다. 그러면…"

여학생은 채 말을 내뱉지 못하고 흐느끼고 말았다. 여기저기에서 흐느끼는 울음소리가 터져 나왔다. 여자와 고등학생들이 피신하는 것으로 결론이 났다. 여기저기에서 서로 작별을 고하는 인사가 오고갔다. 진우는 그동안 발행되었던 투사회보를 몇 부씩 손에 잡히는 대로 집어 짐을 챙기고 있는 음악대학 여학생에게 건네주었다.

"여보세요. 이 투사회보를 가져가 보관해 주겠어요. 전투가 벌어지지 않아 아침에 다시 만나게 되면 돌려주세요. 혹시라도 전투가 벌어져서 못 만나게 되면 보관해 주세요. 훗날 역사의 기록으로라도 남을 수가 있겠지요."

"알았습니다. 제가 보관하고 있을게요. 부디 몸조심하세요."

여학생은 투사회보 꾸러미를 소중한 문서인 양 조심스럽게 받아 가방에 넣었다. 그 모습을 본 진우는 목젖이 움찔 경련을 하며 눈시울이 뜨거워지는 것을 느꼈다. 그 자리에 있다가는 눈물이 나올 것 같아 얼른 돌아서서 정원을 가로질러 방안으로 들어가 버렸다. 잠시 후 여자들과 고등학생들이 옷을 챙겨 입고 뒷담을 넘어 장동로터리 방향으로 빠져나갔다. 군인들이 잠복해있지 않으리라 예상되는 지산동 산수동 방향으로 목표로 정해 출발했다.

5

상황실장이 사람들에게 총과 실탄을 나눠 주기 위하여 도청 앞마당에 소집을 시켰다. 맨 먼저 3층 회의실에서 수십 명의 청년들이 도청 앞마당에 모였다. 어제 오후 궐기대회가 끝난 후 최후까지 도청을 지키겠다고 몰려든 청년들이었다. 예비역 대위라는 사람이 인솔하고 있었다. 어제 오후 모여든 사람들은 2백 명이 넘었다. 그 중 절반은 고등학생들이었다. 진행요원들이 YMCA강당에 청년들을 모아 주먹밥을 먹였다. 청년들은 식사를 마치고 삼삼오오 모여서 대화를 나누고 있었다. 그런데 일행 중에서 자신이 예비역 대위라고 신분을 밝힌 사람이 갑자기 나타나 총기교육을 시켰다. 그 사람의 절도 있는 행동에 그들도 진중해서 교육을 받았다. 예비역 대위까지 나타나서 시민군에 합류하니 모여든 사람들의 사기가 올라갔다. 총기교육이 끝나자 상황실장이 예비역 대위를 지휘관으로 삼고 군대 갔다 온 사람들 오십여 명을 따로 모아 도청으로 데리고 갔다. 맨 먼저 도청 앞마당에 모인 사람들이 바로 그 일행들이었다. 도청 여기저기에서 총기를 받기 위해 사람들이 모여들었다.

민철도 건물 앞마당으로 내려갔다. 도청 안 사무실에서 쉬고 있던 투쟁위원회 간부들도 모여들고 있었다. 상황실과 기획실, 조사부, 대변인실의 청년 학생 봉사대원들이 긴장된 표정으로 총을 받기 위해 차례를 기다렸다. 상황실장이 총을 받은 사람들을 팀을 나누어 배치를 하였다. 먼저 예비역 대위가 30여 명의 시민군을 데리고 계림동 광주고등학교 방향으로 출발했다. 시민군은 십여 명씩 팀을 이루어 전일빌딩, 백운동, 광주공원 등 외곽으로 출발했다.

YMCA강당에 모여 있던 청년 학생들도 열을 지어 도청으로 들어왔다. YWCA홍보본부의 대원들도 총을 받기 위해 모여들었다. 상황실장이 배치를 위해 자리를 뜨자 잠깐 대열이 흐트러졌다. 대변인인 민철이 대열 앞으로 나서서 짧게 연설을 했다.

"여러분! 계엄군들이 이 시각 현재 도청을 점령하기 위해 탱크를 앞세우고 쳐들어오고 있습니다. 우리들은 어떻게 해야 합니까. 그냥 도청을 비워 줘야 합니까? 아닙니다. 우리는 저들에 맞서 끝까지 싸워야 합니다. 그냥 도청을 비우고 물러나면 그동안의 투쟁은 헛수고가 되고 원통히 죽어간 영령들과 역사 앞에 죄인이 됩니다. 죽음을 두려워 말고 투쟁에 임합시다. 역사가 우리를 평가할 것입니다!"

민철은 연설을 끝내고 총을 나눠 주었다. YMCA에서 온 일행 중에는 교련복을 입은 고등학생들이 많이 섞여 있었다. 민철은 고등학생들은 집으로 돌아가라고 권했다. 몇 명은 총을 받지 않고 도청을 나가기도 했지만 대부분은 가지 않겠다고 버텼다. 민철은 대열 중에서 들불야학 제자인 순호와 남수를 발견하고 깜짝 놀랐다. 공장에 다니는 남수는 17살로 학교에 다녔다면 고등학교 2학년이었을 미성년자였다. 민철이 둘에게 간곡하게 말했다.

"너희들은 그냥 집으로 돌아가거라!"

남수가 씨익 웃으며 대답했다.

"싫어요. 형님은 남아 있으면서 우리만 가라고요?"

민철은 야학에서 학생들에게 자신을 '형'으로 불러도 좋다고 했다. 그 후로 남수는 민철을 선생님으로 부르기보다는 형이라 부르길 좋아했다. 민철은 그들이 결코 피신하지 않을 것이라 생각하고 할 수 없이 총을 모두 나눠 줬다. 그 후 민철은 지휘본부의 동료들과 함께 민원실 2층 복도로 올라가 유리창 앞에 서서 금남로를 향해 총을 겨눴다.

취사반에 있던 여성들은 설거지를 마치고 아침 식사 준비까지 마치자 자정이 넘고 말았다. 줄곧 서서 일을 해선지 다리가 무지근해지며 온몸에 피곤이 몰려왔다. 그동안 숙소로 쓰던 2층 부지사실로 가서 쓰러지듯 잠에 곯아 떨어졌다. 부지사실은 바닥에 초록색 카펫이 깔려 있어 얇은 담요만 깔고 자도 5월 초여름 날씨에 전혀 추위가 느껴지지 않았다. 모두들 바닥에 등을 대자마자 곯아떨어지고 말았다. 비상이 떨어지고 방송 소리가 나도 대부분 잠에서 깨어나지 못했다.

박병규는 취사실 부식 담당이었다. 쌀과 반찬 재료를 구해 오는 것이 주된 임무였다. 쌀이나 주먹밥을 가져가라는 시민들의 전화가 심심찮게 걸려 왔다. 그러면 재빨리 차를 타고 가서 싣고 왔다. 시내 여기저기 재래시장에서 아주머니들이 모여서 밥을 짓고 김치를 담가 보내왔다. 그는 마지막 설거지를 거들고 여성 대원들이 2층 부지사실로 가자 민원실 소파에서 잠이 들었다. 그는 비상 소리에 잠이 깼다. 재빨리 벽에 기대 뒀던 총을 쥐고 도청 앞마당으로 나왔다. 도청 안에 있던 사람들이 몰려나오고 있었다. 도청 옥상 스피커에서 계엄군이 쳐들어오고 있다는 내용의 방송이 연속 이어 흘러나오고 있었다. 순간적으로 취사반 여성 대원들이 떠올랐다. 2층 부지사실로 뛰어 올라갔다. 부지사실에는 여성대원들이 잠에서 깨어 웅성거리고 있었다. 박병규는 여성들을 도청 뒤 신부님이 대책위원으로 활동하는 남동성당으로 피신시켜야겠다고 작정했다.

여성들은 비몽사몽 잠도 덜 깬 상태로 박병규를 따라 도청 뒤 골목길을 지나 남동성당으로 들어갔다. 성당 문을 두드리니 수녀님이 나와서 그들을 성당 안으로 받아들였다. 그리고 안쪽의 어린이집에 머무를 수 있도록 했다.

취사반의 어느 여성이 도청으로 가려는 박병규에게 말을 건넸다.

"시민군 아저씨, 도청에 가지 말고 여기서 우리와 함께 숨어 있으면 안 되나요?"

여성들이 모두 간절한 눈길로 박병규를 바라보았다. 박병규는 그녀들의 말대로 그곳에 머물고 싶었다. 그러나 도청에 남아 있는 사람들의 얼굴이 떠올랐다.

"아니, 괜찮습니다. 별일 있겠어요! 염려 마세요. 아침에 다시 만납시다."

박병규는 떨어지지 않는 발길을 돌려 도청으로 향했다.

장교 출신 송 대위는 도청 앞마당에서 무장한 청년 30명을 데리고 시내 북쪽에 있는 고등학교 근처로 갔다. 광주교도소에 주둔하고 계엄군이 공격해 오면 도중에서 공격하기 위해서였다. 고등학교 앞에 육교가 있었다. 송 대위는 대원들을 육교를 중심으로 앞뒤 도로와 육교 위에 나누어 배치했다. 그는 대원들에게 자신의 명령 없이는 절대 총을 쏘지 마라고 당부했다.

고등학교를 졸업하고 군대에 갔다 와서 공무원 시험공부를 하고 있던 황인수는 나이가 많아서 YMCA에 모인 시민군 의용대 1조 조장이 되었다. 그의 조에 20명쯤 배치가 되었다. 황인수는 대부분의 조원들이 얼굴색이나 말하는 폼이 고등학생쯤 되는 것처럼 느껴졌다. 처음 300명쯤 모였을 때 고등학생들은 집으로 돌아가라고 해서 100명쯤 빠져나갔다. 그래서 남은 사람들 중에는 고등학생이 없는 줄 알았는데 그게 아니었던 것 같았다. 상당한 수의 청년들이 고등학생이 아니라고 속이고 남아 있었다.

1조는 도청 앞 10층 건물인 전일빌딩에 배치가 되었다. 그는 대원들을 데리고 전일빌딩으로 갔다. 전일빌딩에는 신문사와 방송국, 도서관과 회사 사무실들이 있었다. 금남로에 접한 정면의 셔터는 굳게 닫혀 있어서 측면으로 돌아 비상계단이 있는 출입구로 들어갔다. 그는 대원들을 데리고 3층에 올라갔다. 그곳에서 대원들을 각 층으로 나누어 경비를 서도록 하였다.

민철 일행은 민원실 2층 복도 유리창에서 거총 자세로 정면을 바라보고 섰다. 모두 군대를 다녀왔기 때문에 총을 다루는 법을 모르지 않았다. 기획실장 김영철은 군대 사격훈련에서 특등사수였다. 도청 앞에 서있는 회화나무의 짙은 검정색 실루엣이 검은빛 바탕 밤하늘 색깔보다 진하게 드러나는 것으로 보아 여명이 트이고 있었다. 누구도 입을 열지 않았다. 한동안 침묵이 계속되었다.

민철은 순간순간의 정적이 영원한 시간처럼 느껴졌다. 그는 적막한 시간을 참기 힘들어, 아 이대로 아침이 오지 않는다면…, 아니면 차라리 시간이 빨리빨리 흘러서 훤한 아침을 금방 만들어 버렸으면… 하고 바랐다.

6

그때쯤 어디에선가 총소리가 들려왔다.

드르륵 드르륵… 드르륵 드르륵…
따콩, 따따콩, 따콩…
총소리는 들렸다가 멈췄다를 반복하기 시작했다. 총소리의 간격이 차츰 빨라졌다.

홍보본부에서도 총소리가 들려왔다. 준호는 총소리 사이로 찾아드는 정적의 고요함이 두려움을 한층 더 가중시킨다고 생각했다. 준호는 불현듯 어렸을 때 월남전쟁에 파병되었다가 돌아온 삼촌의 말이 떠올랐다. 삼촌은 불꽃 튀는 전투보다도 정글의 암흑 속에서 보이지 않는 적과 대치했을 때가 훨씬 더 무서웠다고 했다. 준호도 총성이 끝난 후 총성이 또다시 언제 시작될지 모르는 상황에서 다가오는 고요함이 더 무서웠다.

준호는 두려움을 잊고자 총구를 겨눈 채 창 너머를 길게 응시하고 있는 인철을 바라보았다. 그리고 소심함을 숨기듯이 일부러 굵은 목소리로 말을 건넸다.

"형님. 무슨 생각하나요? 조용하니까 은근히 무섭네요. 아무 말이라도 한번 해 보쇼. 무섬증이라도 덜게."

인철은 준호를 돌아보며 웃으려고 했는지 순간적으로 얼굴 근육이 실룩대듯이 찌프러졌다가 펴졌다. 그도 긴장을 하고 있었던 것 같다. 이윽고 가지런한 이빨을 하얗게 드러내며 말하기 시작했다.

"무섭지. 나도 역시 무섭긴 마찬가지다. 그렇지만 우리 두려워하지 말자. 상황이 불리하게 되어 최후의 순간이 온다 해도 우리 떳떳하게 죽자."

인철이 조금 뜸을 들이더니 말을 이었다.

"넌 집이 여기 광주랬지. 부모님은 다 잘 계시니?"

"예. 부모님은 두 분 다 살아 계셔요. 내가 이남 사녀 중 차남이에요. 형님은 어떻게 되요?"

준호가 되물었다.

"너는 행복한 놈이다. 나는 부모가 누군지도 모른 채 갓난아기 때부터 고아원에서 줄곧 살아온 혈혈단신이다. 그렇지만 나는 지금까지 내가 외롭다거나 불쌍하다고는 한 번도 생각해 본 적이 없다. 아마 그건 천성이 낙천적이고 강한 성격을 가져서 그런지도 모른다. 그런데 오늘 누군가를 죽이기 위하여 총을 겨누고 있다고 생각하니 죽음이라는 것이 별것 아니겠구나 하는 생각이 드는구나."

호흡이 끊기듯 잠시 숨을 돌리며 쉬었다.

"나는 고아원에서 자란 후로 신문팔이며 식당 종업원 노가다 구두 닦이니 해서 안 해 본 것 없이 다 해 봤다. 그래서 그 동안 삶이 괴로울 때면 죽어 버리고 싶다는 생각을 수백번이나 했고 사실 죽을 뻔한 고비도 여러 번 넘겼었다. 그런데 어느 날인가부터는 그런 죽음의 충동이나 혹은 그런 값싼 죽음을 결코 받아들여서는 안 되겠다는 결심을 하게 됐지. 아마 그건 우리 고아의 외로운 장례식을 보면서 느낀 감정이었을 거야. 부모와 가족이 없는 고아들이 죽었다고 치자. 누가 장례나 제대로 치러주겠니. 동사무소나 구청에서 직원이 나와 시체 검안하고 싸구려 관에 뉘어 어디 변두리 공동묘지에 묻어 버리고 끝나겠지. 그런 꼴을 몇 번 본 뒤로는 너무 억울해서 결코 그렇게 죽지는 않기로 했지. 그래서 지금까지 오기로 살아왔는지 모른다."

인철의 신상 이야기는 사실 처음 듣는 이야기이다. 인철이 고아 출신으로 안 해 본 것 없이 다 해 본 사람이라는 것은 귓결에 들어서 알고는 있었지만 정작 본인이 자기의 신상에 대해서는 일체 이야기를 안 했기 때문에 그러려니 하고 지내 왔던 것이다. 인철은 지금은 어디 신협의 수금사원으로 자전거를 타고 상점을 돌면서 그날그날의 예탁금을 모아 예치시키는 일을 맡아 하고 있다. 그 직장도 형을 평소에 착실하고 야무지다 해서 곱게 보아 온 신협의 상무님이 일을 맡겨 준 것이다.

인철이 이야기는 계속되었다.

"난 지금도 지난 20일 밤을 잊을 수가 없다. 그날 난 하루 종일 금남로에서 공수대원들과 죽을힘을 다해서 싸웠었다. 하지만 소강상태에 돌입했고 난 지쳐 집으로 돌아왔다. 그리고 밤 아홉 시쯤 누워 있는데 어디선가 노랫소리가 아스라이 들려와 그 소리를 찾으러 밖으로 나왔다. 그리고 참으로 감동적인 광경을 보았다. 그것은 무등경기장에서부터 시작된 차량의 행렬이었다. 크고 작은 차들은 안이고 밖이고 할 것 없이 사람들이 가득 타고 있었지. 어디서 그렇게 많은 차들과 사람들이 쏟아져 나왔는지… 마치 서울이나 다른 지역에서 우리 광주 시민들을 지원하러 군대를 보낸 것 같았다. 모두들 애국가나 통일의 노래 같이 모두 알고 있는 노래들을 합창하고 있었지. 난 그때 느꼈다. 아 이것이 해방이라는 거구나, 아 이것이 통일이라는 것이구나…라고. 사실 그때부터 난 우리 광주 시민이 의로운 투쟁을 하고 있다는 확신을 갖게 되었다. 그리고 난 그때부터 세상을 미워하지 않기로 했고…"

그때 훨씬 가까이서 총소리가 들려왔다.

드르륵 드르륵 …, 따콩 따콩 따따콩 …, 드르륵 드르륵…

총소리에 놀랐는지 남수가 부스럭거리더니 버럭 소리를 지른다.

"형님들 총소리가 점점 커져요. 그 놈들이 저 앞까지 온 것 같아요."

인철이 침착하게 남수를 진정시켰다.

"남수야, 이쪽으로 오거라, 너무 놀라지 말고."

남수는 준호와 인철이 사이로 파고들며 쑥스러운지 누구에게라고 할 것 없이 나지막하게 혼잣말을 뱉었다.

　"'드르륵' 소리는 저놈들의 M16 자동소총이고 '따콩'은 우리 시민군의 구식 카빈 소총 소리인데 지금 우리 시민군들이 총에 맞아 쓰러지고 있다고 생각하니 가슴이 답답해서 미치겠어요."

　또다시 총소리가 들려왔다. 총소리는 점점 더 커지며 가까워지고 있었다.

　드륵 드르륵…, 따콩 따따콩…, 하나 두울 셋 네엣 다섯…, 드륵 드르륵…, 따콩 따따콩…

　하나, 두울, 세엣, 네엣…, 준호는 어느덧 자신도 총소리의 간격을 세고 있음을 알았다.

역사성과 일상성 모두 넘어서기

– 전용호 소설집, 『오리발 참전기』에 대하여

이명원_ 문학평론가, 경희대 후마니타스칼리지 교수

『오리발 참전기』는 전용호의 첫 창작집이다. 여기에는 모두 8편의 소설이 수록되어 있는데, 분류하자면, 역사성과 일상성의 두 세계로 나뉠 수 있을 것 같다. 표제작인 「오리발 참전기」, 「물안개」, 「사이렌 소리」, 「마지막 새벽」을 역사성의 세계로 분류할 수 있다면, 「어느 오후」, 「산새도 오리나무」, 「비빔밥」, 「밤의 세계」에 밀도 높게 묘사되고 있는 것은 일상성의 문제이다.

역사성은 '사건성'을 전제로 한다. 이 소설 속에서 그것은 1980년의 광주민중항쟁이다. '사건성'은 일상의 지속되는 시간의식을 파괴하거나 단절시킨다. 이로부터 새로운 시간과 잊을 수 없는 체험이 솟구쳐 오르는데, 이후 그것은 사건장소의 원점으로 끝없이 회귀하는 강렬한 기억으로 남는다. 반면, 일상성은 새로운 시간 안에서도 결코 변화하지 않는 생활의 반복을 낳는다. 소설 안에서 그것은 변화불가능한 체념의 악무한성으로 나타난다. 일상성의 세계를 묘사하고 있는 소설 속 인물들의 공통감각 혹은 감정은 무기력 혹은 불안이다. 「밤의 세계」에 등장하는 실직 남성은 그래서 자신을 "우리에 갇혀 있는 야생 짐승"이라 표현한다. 출구나 통로를 찾을 수 없다는 정동(affect)인 셈이다.

역사성은 일상성의 파괴와 미래전망으로, 일상성은 역사성의 상실과 자의식으로의 침잠에 해당한다. 물론 역사성을 가능케 하는 사건성과 일상성의 지속이 초래하는 무기력 자체만으로 이 두 세계의 우열을 따질 수는 없다. 왜냐하면 소설은 역사적 사건성에 대한 전환적 인식도 표현하지만, 건조한 일상성 안에서 섬광처럼 출현하는 감각적 각성도 드러내는 양식이기 때문이다. 전용호의 소설을 읽으면서, 독자들이 주목해야 될 부분은 이 각기 다른 인식과 각성의 진리 문제일 것이다.

역사성의 세계를 다루고 있는 전용호의 소설들을 읽다 보면, 자연스럽게 광주민중항쟁과 작가 전용호의 분리불가능한 역정의 문제를 생각하게 된다. 광주항쟁 당시 전용호는 시민군 대변인이었던 윤상원과 함께 들불야학의 강학으로 활동했으며, 항쟁기간 동안에는 〈투사회보〉를 제작해 광주항쟁의 진실을 기록하고 전파하는 일을 담당했다. 신군부에 의해 도청이 무력진압된 후 수감생활을 마치고 나온 그는 광주기독교청년연합회, 민중문화연구회 등에 참여하면서, 광주항쟁의 진실을 밝히기 위한 지역문화운동에 투신한다.

이러한 활동과 함께 비밀리에 같은 대학 출신의 이재의 등과 함께, 광주민중항쟁의 기억을 보존하고, 이후 광주항쟁의 진상규명과 거대한 민주화운동의 동력을 제공하고 폭발시키는 기념비적인 민중사 저작인 『죽음을 넘어 시대의 어둠을 넘어』(풀빛, 1985)를 소설가 황석영의 이름으로 출간하는 중추적인 역할을 감당한다. 2017년 이 책이 개정증보판으로 출간될 때까지, 나와 같은 문학평론가조차 이 숨어 있는 역사의 주인공들을 전혀 인지하지 못했다.

E. P. 톰슨이 『영국 노동계급의 형성』에서, 산업혁명기의 영국 수공업 노동자들의 가열한 투쟁의 역사를 기록했던 자들이 '고유명'이 없이 싸우고 희생된 이들의 기억을, 당대의 신문·경찰의 수사기록·판결문 등에서 찾아내 의미화=역사화한 것과 같은 작업이 가능했던 것에서 감동을 느꼈던 나로서는 전용호·이재의와 같은 이들에게 더 큰 경의를 표현할 수밖에 없다.

그런 그가 소설가였다는 사실조차도 모를 정도로 나는 무지한 상태에 있었기 때문에, 이번에 출간되는 『오리발 참전기』에 수록된 작품들을 읽어 나가면서, 말할 수 없는 복잡한 감정에 빠져들곤 했다.

항쟁의 기억을 소설화한다는 것은 어려운 일이다. 임철우의 장편 『봄날』과 같은 장대한 다큐멘터리 기법으로 쓰인 대하소설이나, 영매와도 같은 넋의 고백으로 죽어 간 어린 이들의 한(恨)을 표현하는 한강의 장편 『소년이 온다』의 경우도, 읽어 가다 보면 억제할 수 없는 파토스나 억제된 로고스가 그 '사건성'의 시간과 장소를 반대급부로 과잉 객관화하거나 주관화하는 미적 거리(aesthetic distance)를 상실할 때가 종종 있다. 물론 이것은 피할 수 없는 일이다. 살아남은 자의 부채의식 때문일 것이다.

그런데 『오리발 참전기』에 수록된 소설들은 이렇게 분출되는 파토스를 의식적으로 억제하면서, 계엄군의 목소리로 현재의 경과된 시간 속에서 신군부 세력을 풍자하거나(「오리발 참전기」), 시민군 출신 민중들의 삶의 하강과 안간힘은 그것대로 묘사하면서도, 국가폭력에 대한 소멸될 수 없는 응징의 필연성은 물론 그것의 실패와 지연을 씁쓸하게 묘사(「사이렌 소리」)하는 과정에서의, 객관화된 거리 감각을 견지하려 노력하고 있다. 특히 「마지막 새벽」과 같은 중편은 이 미적 거리와 객관화에 대한 서사적 의지는 긴밀하게 유지되면서도, 사실적인 동시에 잠재적인 항쟁의 진리/진실을 표현하고자 한다.

「오리발 참전기」는 광주항쟁 당시 20사단 수색대 장교였던 한 전라도 출신 계엄군이 10·26 이후 신군부 쿠데타로부터 5·18 당시까지의 경험을 회고하면서, 5·18을 일으켰던 세력들의 역사부정을 풍자적으로 규탄하는 시각으로 쓰인 단편이다. 이 단편은 당시 계엄군의 일원을 화자로 등장시키면서도, 그것을 '악'으로 단순화시키지 않고 사태를 객관화하고자 시도한다. 물론 화자 역시 5·18 당시에는 군의 유언비어 그대로 5·18을 북의 간첩소행으로 믿었고, 광주 시민들을 '폭도'로 간주했던 사람이다. 그런데 시간이 흘러 TV청문회를 보면서 사태의 진상을 뒤늦게 알게 되고 각성하게 된다. "오일팔이 국민을 향해 쏜 범죄지. 국가를 지키기 위한 전쟁이었습니까?"(33쪽) 하는 물음이 그것이다. 그런데 5·18 국가폭력의 주동자인 전두환 등 신군부 세력들은 현재까지도 발포명령을 포함하여, 그 책임을 완강히 부정하고 있다. 5·18의 책임에 대한 이 뻔뻔스러운 부정을 화자는 "아 이놈의 오일팔 응어리, 오일팔, 오일팔…그놈의 오리발!"(33쪽)이라고 탄식하고 있는 것이다.

「물안개」는 작가의 등단작이다. 직접적으로 5·18을 대상으로 쓰인 소설은 아니지만, 1980년대의 시국상황 속에서 전개되었던 군과 공안

기관의 민간인 사찰 등을 모티프로 하여, 한 가족 안에서 벌어지는 감정의 굴곡과 회한을 잘 드러낸 작품이다. 이 소설의 처음과 끝은 교직에서 정년을 한 부친과 낚시를 하는 현수의 회상으로 전개되고 있다. 현수에게는 한 살 터울의 여동생 영주가 있다. 그런데 사실상 부친과 영주는 가족으로서는 완전히 절연되어 있는 상태다. 대학시절 이후 영주가 학생운동에 적극 참여했을 뿐만 아니라, 이후에는 노동운동에 투신해 노동자와 결혼을 하는 등 교육공무원인 부친의 뜻을 정면으로 거슬렀기 때문이다. 반면 영주와 같은 시기 같은 대학을 다니고 있었던 현수는 소시민적인 희망에 안주한다. 그러나 그런 현수가 군에서 받게 되는 지시는 보안사의 민간인 사찰임무를 수행하는 것이었고, 놀랍게도 대상은 학생운동의 중심인사인 자신의 여동생이었다. 한편 딸인 영주 탓에 항상 도서지역을 떠돌면서 교사생활을 해야 했던 부친은 1년에 한 번씩 광주교육청에 올라가 기관원들에 의해 영주의 동태에 대해 심문당하고 강한 사직 압력에 노출된다. 긴 시간이 흐른 후 안개가 자욱한 저수지에서 정년퇴직한 부친과 현수가 낚시를 하면서 회상하는 과거는 생생하지만, 현실에서의 부친과 영주의 화해는 이루어지지 않는다.

「사이렌 소리」는 광주항쟁 당시 시민군으로 참여했다 상무대에서 수형생활을 함께했던 '솥뚜껑 김태주'와 '쌩영감 오동만'이 이십여 년 후 우연히 재회하여, 당시 잔인한 고문을 자행했던 '독사 최반장'을 응징하려다 실패하게 된다는 이야기를 다루고 있다. 소설의 서사적 현재 국면에서 독사 최반장=최경구는 국회의원 후보로 출마하고 있다. 솥뚜껑 김태주는 광주 시외터미널에서 원거리 택시운전으로 생계를 영위하고 있고, 오동만은 교도소를 출소 후 민주화 보상금으로 국제 결혼을 했지만 아내는 도망가고 홀로 두 자녀를 키우고 있는 홀아비이다. 오동만은 광주항쟁 이후 상무대와 교도소에서 경험한 잔인한 고문의 후유증으로 심각한 트라우마를 앓고 있다. 가족마저도 해체되어 삶을 지탱할 수 있는 근거를 상실한 상태인데, 그에게 말할 수 없이 고통스러운 고문을 자행한 독사 최반장이 번들거리는 얼굴로 국회의원이 되겠다고 나선 것을 보고 사적 응징/복수를 할 계획을 하게 된다. 항쟁에 참여했던 시민군의 삶은 비루하게 전락한 반면, 그것을 폭력적으로 분쇄했던 공안권력의 하수인은 권력의 정점을 향해 승승장구하는 현실의 뒤틀린 역사 부조리에 대한 절망이 동만의 사적 응징/복수로 분출된 것이다. 소설의 결말은 동만의 응징/복수는 간단하게 검은 양복을 입은 경호원에게 제압되고, 결국 경찰차의 사이렌 소리를 남기며 사라지는 것으로 끝난다. 이를 담담하게 지켜보는 태주의 무력감은 5·18에 대한 역사적 심판이 미완의 상태인 한, 항쟁주체는 끝없는 모욕에 직면할 수밖에 없다는 것을 암시하는 것으로 보인다.

「마지막 새벽」은 광주항쟁의 대단원에 해당되는 도청에서의 마지막 밤을 그리고 있는 중편소설이다. 이 소설의 화자는 시민군의 홍보본부에서 〈투사회보〉를 제작하고, 차량홍보와 대자보 작업등을 수행하는 대학생 최진우로, 작가 전용호의 체취가 가장 직접적으로 담겨있는 작품이다. 이 소설 속에는 전남도청의 항쟁과정에서 마지막까지 투쟁을 포기하지 않았던 다양한 인물들이 등장한다. 윤상원 열사를 상기시키는 지휘본부의 윤민철, 교회청년회 활동을 했던 재수생, 흰 얼굴의 대학1년생, 고아 출신 박인철, 대학 2년생 최준호, 금형노동자

순호, 고교생 시민군인 장성 출신 이철희, 취사반의 박병규, 예비역 출신의 송대위 등, 전남도청이 계엄군에 의해 무력진압을 당할 때, 민주주의를 위해 끝까지 맞서 싸웠던 다양한 인물군상들이 등장하여 마지막 새벽을 맞는 전율적 태도를 담담하게 잘 표사하고 있는 작품이다. 이 소설이야말로 어찌 보면, 이 작품집의 백미에 해당되는 것으로 볼 수 있는데, 나는 특히 고아 출신의 박인철이 다음과 같이 자신의 심경을 피력하는 장면이 인상적이었다.

"난 지금도 지난 20일 밤을 잊을 수가 없다. 그날 난 하루 종일 금남로에서 공수대원들과 죽을힘을 다해서 싸웠었다. 하지만 소강 상태에 돌입했고 난 지쳐 집으로 돌아왔다. 그리고 밤 아홉 시쯤 누워 있는데 어디선가 노랫소리가 아스라이 들려와 그 소리를 찾으러 밖으로 나왔다. 그리고 참으로 감동적인 광경을 보았다. 그것은 무등경기장에서부터 시작된 차량의 행렬이었다. 크고 작은 차들은 안이고 밖이고 할 것 없이 사람들이 가득 타고 있었지. 어디서 그렇게 많은 차들과 사람들이 쏟아져 나왔는지… 마치 서울이나 다른 지역에서 우리 광주 시민들을 지원하러 군대를 보낸 것 같았다. 모두들 애국가나 통일의 노래 같이 모두 알고 있는 노래들을 합창하고 있었지. 난 그때 느꼈다. 아 이것이 해방이라는 거구나, 아 이것이 통일이라는 것이구나…라고. 사실 그때부터 난 우리 광주 시민이 의로운 투쟁을 하고 있다는 확신을 갖게 되었다. 그리고 난 그때부터 세상을 미워하지 않기로 했고…"(227쪽)

광주는 고립되어 있었지만, 광주 시민들은 '절대공동체'(최정운)와 같은 강한 연대감 속의 운명공동체가 되어 국가폭력에 대항했다. 일상성의 관성을 찢어 내고 솟아오르는 이 절대적 시간은 고아 출신 박인철에게 "아 이것이 해방이라는 것이구나, 아 이것이 통일이라는 것이구나"라는 강한 결속감과 자부심을 충전시킨다. 항쟁의 마지막 새벽, 그들은 패배감에 빠지거나 절망하고 있는 것이 아니라, 새아침을 여는 강한 결단과 희열을 집단적으로 충전하고 있는 것이다. 이야말로 이른바 '시적 황홀'에 해당하는 전율적 감각이겠거니와, 그러나 이 소설의 가장 큰 미덕은 기억의 계승과 역사적 상기의 문제를 피력하고 있다는 것이다.

> 진우는 그동안 발행되었던 투사회보를 몇 부씩 손에 잡히는 대로 집어 짐을 챙기고 있는 음악대학 여학생에게 건네주었다.
> "여보세요. 이 투사회보를 가져가 보관해 주겠어요. 전투가 벌어지지 않아 아침에 다시 만나게 되면 돌려주세요. 혹시라도 전투가 벌어져서 못 만나게 되면 보관해 주세요. 훗날 역사의 기록으로라도 남을 수가 있겠지요."
> "알았습니다. 제가 보관하고 있을게요. 부디 몸조심하세요."
> 여학생은 투사회보 꾸러미를 소중한 문서인 양 조심스럽게 받아 가방에 넣었다. 그 모습을 본 진우는 목젖이 움찔 경련을 하며 눈시울이 뜨거워지는 것을 느꼈다.(218~219쪽)

위의 장면은 작가의 실체험이 서사적으로 변형되어 재현된 상황이다. 이러한 경로를 거쳐서 지금 우리들이 서점에서 만날 수 있는 『죽음을 넘어 시대의 어둠을 넘어』(풀빛, 1985)이 나오게 된 것을 이제야 우리는 알게 되었다.

소설이라는 양식은 근본적으로 기억의 장르다. 기억의 역사화와 서사화가 다른 것은 상황의 구체성과 고유성에 대한 표현/재현/형상화를 통해서, 우리들의 감정과 정동 모두를 통일된 지성으로 양식화한다는 점에 있다. 광주민중항쟁의 역사성을 조명하고 있는 소설가 전용호의 뒤늦은 등장이 뜻깊은 것은 바로 이 때문이다. 관찰자/목격자/추체험자의 소설이 아니라, 항쟁의 직접적인 당사자가 어떠한 죄의식이나 부채의식 없이, 일체의 과장 없는 성숙한 담담함으로 5월광주의 역사된 일상의 고유성을 이제야 독서대중들에게 고백하고 있는 장면을 우리는 목격하게 된 것이다.

그렇다면, 광주항쟁 이후 우리가 40여 년에 이르는 시간 동안 경험하게 된 일상성의 세계는 어떠한 것이었는가. 앞에서 나는 「밤의 세계」를 거론하면서 "우리에 갇혀 있는 야생짐승"이라는 표현을 거론한 바 있거니와, 인간다운 존엄과 강인한 행동성의 거세가 어쩌면 우리가 경험해 온 포스트 광주 이후의 현실인지도 모르겠다.

「산새도 오리나무」는 대학 시절 연극반으로 활동했던 동창들이 많은 시간이 지난 후 다시 재회하게 되어, 서늘하고 고독하게 축소된 일상의 피로를 확인하게 되는 이른바 예술가 후일담 소설이다. 이 소설의 화자는 이제는 교사가 되어 있는 수정이고, 대학 시절 어울리지 않게 벨칸토 창법으로 서양가곡을 부르던 김영중이 중국 유학으로부터 일시귀국하게 되어 만나게 되는 어느 날의 풍경을 그리고 있는 작품이다. 이 작품 속의 기성세대가 된 인물들이 처해 있는 상황의 공통점은 압도적인 무력감이다. 동아리의 회장이었던 진수는 대학 졸업 후 극단을 창립하지만, 아내와는 이혼하고 연극은 관객을 끌어들이지 못한 상태에서 안간힘을 쓰고 있다. 진수를 짝사랑했던 경화는 부모의 반대와 진수의 회피 탓에 의사 출신의 남편과 결혼하게 되지만, 산후우울증이 깊어져 남편과의 관계는 차갑게 냉각된 상태다. 기자 생활을 하다 유학을 통해 돌파구를 찾고자 했던 영중 역시 대학에서의 전망 없음 상태에 직면하고 있는 것은 마찬가지다. 이것은 단순히 청년으로부터 기성세대로 편입되어 가는 과정에서 겪게 마련인 삶의 일상화된 통과제의라기보다는 이들의 영혼/마음속에서, 젊은 날의 막연한 이상조차도 상실된 결과로 보인다.

「밤의 세계」의 화자는 실직 상태의 남성이다. 아내는 생활을 유지하고자 파트타임 간호사로 출근하지만, 쌓여만 가는 체납고지서만큼 사내의 마음은 납덩어리가 되어 간다. 실업자인 그는 늦은 밤 거실에서 가족들 몰래 담배를 태우거나 오래된 사랑 영화를 보는 것 정도로 스스로의 세계를 축소시키고 있다. 아니 위축된 것이다. 불면증은 피할 수 없어서 아내와도 각방 생활한 것이 오래되었다. 그가 유일하게 사회적으로 접촉면을 유지하는 것은 비디오 대여점 정도인데, 이 항우울의 상태를 벗어날 수 있는 출구는 어디에도 없어 보인다. 다만 그런 사내에게 "잘 익은 복숭아에서 풍기는 단내 같은 살내음"으로 다가오는 아내를 "팔을 가득 벌려서 그녀를 꼬옥 껴안"(153쪽)는 결말에서 아직까지는 포기할 수 없는 삶의 온기를 간신히 유지하고 있다.

「비빔밥」의 화자 역시 실업자다. 그러나 「밤의 세계」와 다른 것은 그가 비빔밥이라는 은유로 통용되는 가짜 휘발유 사업을 하면서 생활을 복원하려는 강한 의욕을 회복하고 있다는 점이다. 이 점에서 보면, 일단 야생동물은 우리에서 탈출한 것으로 보인다. 그러나 생활이란 우리 바깥에는 더 강하고 비열한 야생동물들이 있다. 후배와 고물상 김사장은 물론이거니와 관할서의 박형사는 부부관계를 숨기고 고물상의 경리사원으로 취업한 아내에 대한 노골적인 추파는 물론 화자를 향해서는 가짜 휘발유를 단속하기 위한 수사망으로 점점 압박의 강도를 높이고 있다. 실직 후 발기불능 상태로 전락한 '나'는 심야의 영화를 보면서 자위나 하는 신세인데, 소설의 마지막 장면에서조차 카섹스를 하는 (아내와 박형사일지도 모르는) 이들의 교성을 발치에서 엿듣는 신세에서 벗어나지 못하고 있다. 이미 생활의 압력에 순치된 무력감을 피할 수 없게 된 것이다.

「어느 오후」는 이 작품집에서 가장 골계미가 돋보이는 세태소설이다. 지방직 9급 공무원으로 출발했지만 7급주사도 못하고 퇴직한 김씨는 작은 마트를 운영한다. 장사가 안되는 마트에서 재미로 시작한 화투판 대여는 마트의 매상을 쏠쏠하게 올리게 하는데, 이 화투판에 모인 인물군상들은 물론 대흥다방과 로터리다방과 함께, 김씨에게는 그야말로 낙원 같은 뒤늦은 성적 쾌감을 제공해 준 퇴폐이발소 〈낙원이용원〉의 면도사 아가씨들 등 등장인물에 대한 캐리커쳐와 같은 묘사가 돋보이는 작품이다.

광주 이후 현재와 근접한 일상성을 조명하고 있는 작품의 경우, 묵직한 비애와 침잠, 자신으로서도 어쩔 수 없는 삶에 내면화된 불안과 그 과정에서의 순간적 일탈, 정서적 회한 등이 주로 내면풍경을 통해

묘사되고 있다.

이렇게 본다면 전용호의 소설은 호두를 깠을 때, 왼쪽과 오른쪽으로 가지런히 나눠진 건조한 풍경의 이중성이 이 창작집 안에서 광주의 역사성과 신자유주의적 일상성의 측면에서 비대칭적으로 드러난 작품들이라고 볼 수 있다.

역사적 기억의 상기와 음미라는 관점에서 나는 「마지막 새벽」을 가장 중요하며 의미 있는 소설이라고 생각한다. 이 창작집에서 가장 많은 분량일 뿐만 아니라 광주민중항쟁에 참여했던 민중들의 체험과 열망을 가장 직접적으로, 어쩌면 등장인물의 입을 빌어 고백적으로 서사화하고 있는 작품이기 때문이다.

그러나 항쟁 이후에 우리가 직면하게 된 처연하고, 비루하며, 모순으로 가득 찬 일상 속의 무기력을 표현하고 있는 작품 역시 전용호의 작가적 역량을 십분 발휘하고 있는 작품이라는 점은 부정할 수 없다. 무기력조차도 생생하게 서사화하는 것이야말로 작가적 역량이다. 단편소설은 일종의 시적 양식이기에, 역사의 벽화가 아닌 생활의 단면을 활달하게 표현하는 데 그 특장이 이 소설들에는 유감없이 드러나는 것이다.

오랜 삶의 역정과 응축된 침묵 끝에 나온 『오리발 참전기』를 기점으로 소설가 전용호가 역사성과 일상성 양자 모두를 치밀한 연관 속에서 재구축하면서, 침체된 한국소설계의 선 굵은 서사와 목소리를 제시할 수 있기를 나는 기대한다. 이를 위해서 역사성의 세계인 광주민중항쟁이 일상성의 세계인 지금 이곳의 현장에서, 어떻게 재현되고 성찰될 것인가의 문제를 더 밀도 높게 고민하는 과정도 필요하다고 생각한다. 이번 창작집 속에서 재현된 광주민중항쟁은 단편양식이 불가피하게 노정할 수밖에 없는 상황의 단면에 대한 보고형식이나 회상형식으로 나타난 것이고, 일상성에 대한 묘사의 과정에서 등장하는 인물 역시 변화하는 시대와 상황의 명백한 경향적 세태 바깥에서 다소는 고립된 인물군상이 등장하고 있는 셈인데, 이는 첫 창작집 이후 작가가 이쪽과 저쪽 모두에서 집중된 서사구성의 고민을 해야 할 필요성이 있는 부분이다.

지난 연대 동안 전용호는 작가로서보다는 지역의 문화활동가, 민주화운동의 리더로서의 역할에 충실했다. 어쩌면 작가로서의 자의식과 실천을 집중적으로 구체화하는 것을 그에게 주어진 사회운동 현장에서의 역할과 관련해 사치스러운 것으로 간주했을 확률이 높다. 그러나 운동사회 안에서의 역할은 그것대로 지속하면서도, 역시 소설가가 막힌 시대의 통로를 뚫어 제시해야 할 비전은 여전히 필요한 미완인 것이다. 이번 첫 창작집의 출간을 계기로 그의 소설이 많은 대중들에게 읽혀지고, 그것을 심적 계기로 해서 정력적인 작품활동이 지속되기를 진심으로 기대한다. 광주민중항쟁을 서사화하는 과정에서, 여전히 우리의 문학계가 모색하고 혁신해야 할 소설사적 과제와 책임은 막중하기 때문이다. 그의 소설이 역사성과 일사성의 구조적 압력 모두를 넘어서는 서사적 작업으로 기억되기를 기대한다.

늦깎이로 등단한 게으른 작가의
뜬금없는 소설집 출간

나는 어릴 때부터 책읽기를 좋아했다. 내가 책읽기를 좋아한 이유는 내 위아래로 누이들이 있어 아들로서 혼자였던 집안 환경으로 인한 내성적인 성격 때문이었던 듯싶다. 게다가 시골 초등학교 시절 여자 중·고등학교 교사였던 아버지로 인해 학교 사택에서 살았는데, 집 옆에 도서관이 있었다. 조그만 도서관에는 색이 바랬지만 초등학교 어린이가 보기에는 수많은 책들이 쌓여 있었다. 나는 학교가 파하면 그곳에서 누나들 틈에 끼어 책을 보면서 오후를 보냈다. 학교 선생님 아들이라 도서관 사서 선생님도 내가 출입하는 것을 제지하지 않았다. 나는 그곳에서 많은 책을 읽었다.

그때 읽었던 책 중 지금도 기억나는 것은 『노틀담의 꼽추』다. 『노틀담의 꼽추』는 루이 11세 치하 15세기 프랑스 파리를 그린 역사소설로서 아름다운 집시여인과 꼽추 종지기의 슬픈 사랑 이야기다. 그러나 초등학교 3학년쯤의 소년이 읽기에는 조숙한 내용이다. 나는 그 책을 읽으면서 사랑의 감정에 대해 알게 되었다. 신체는 어린 소년이었지만 감성은 청소년쯤으로 조숙해 버린 것이다. 초등학교 5학년 초에 광주로 전학을 왔다. 도시 학교로 전학을 오게 되어 제일 기뻤던 것은 책이 많은 넓은 도서관에 갈 수 있다는 기대였다. 그러나 학교 도서관에 들어서자마자 내 기대는 깨지고 말았다. 초등학교 도서관에는 그림책과 동화, 큰 활자의 위인전 등이 대부분이었다. 『노틀담의 꼽추』도 원본이 아닌 어린이용으로 윤문해서 발간한 책이 있었다. 독서에 대한 흥미가 약간 떨어졌다. 그래도 중·고등학교를 거치면서 꾸준히 독서를 해 왔다.

나는 아무에게도 말하지 않았지만 대학에 다니고, 학생운동을 하고, 나중에 사회운동을 하는 중에도 마음속으로 문학을 버리지 않았다. 그렇지만 소설이건 시를 직접 쓰지는 못했다. 문학작품을 잘 쓸 자신이 없었고, 어쭙잖은 작품을 남들에게 보이고 싶지도 않았다. 나의 내면에 감추어진 완벽을 추구하는 결백증 때문이었다. 그러던 40대에 들어선 어느 날부터인가 소설 습작을 하기 시작했고 마침내 하나의 단편을 완성하여 1998년 〈광주매일〉 신문사 신춘문예에 출품하여 당선되었다. 그렇게 나는 소설가가 되었다.

나는 소설가가 되자 제일 먼저 5월항쟁 대하소설을 쓰고 싶었다. 5월항쟁에 관한 스토리를 써가지고 출판사 편집장을 만나려고 서울로 올라갔다. 그동안 사회단체에서 박봉의 활동비로 생활했기 때문에 하루라도 수입 없이 소설 집필에만 전념할 수 없었기 때문에 인세를 선불로 받으려는 계획이었다. 그러나 내간 만난 몇몇 출판사 편집자들은 나의 제안을 거절했다. 나는 아무 소득 없이 광주로 내려오고 말았다. 지금 생각하면 너무도 당연한 결과였다. 지방신문 신춘문예에 이제 막 등단한 무명 소설가가 5·18 대하소설을 쓰겠다고 인세를 선불로 달라고 하니 어느 출판사가 그 제안을 받아들이겠는가 말이다.

그때부터 나는 스토리텔링 작가로 변모하고 말았다. 당장 돈을 벌어야 했기 때문에 원고료가 즉시 지급이 되는 글을 쓸 수밖에 없었다. 주로 학교, 기업체, 단체 등의 활동이나 역사에 관한 집필 작업들이었다. 자서전 대필도 주요한 수입이었다. 그렇게 해서 20여 년 동안 많은 글을 썼고 책을 만들었다. 그렇게 만들어진 저작물 중 대표적인 것들로 『광주 다시 읽기』(시민의 소리 신문사, 2006), 『남도 천년한옥 기행』(전라남도청, 2008), 동화 『천개의 소원』(도서출판 북멘토, 2015) 등이다.

한편 원고료 수입과 상관없이 지역사회운동, 5월항쟁 등 의미 있는 저작물을 여러 권 출간하였다. 그렇게 간행된 작품들은 윤상원 열사 일기 『미완의 일기』(금호문화, 1999), 5·18정신피해 수기 『부서진 풍경』(5·18기념재단, 2000), 김영철 열사 유고집 『이루지 못한 꿈』(5·18기념재단, 2015), 『죽음을 넘어 시대의 어둠을 넘어』(개정판, 창작과비평, 2017) 등이다.

나는 집필활동 외에도 뮤지컬도 제작하고 뮤지컬 시나리오를 쓰기도 했다. 사회운동단체 활동가와 문화운동가에서 소설가, 작가, 문화 컨텐츠 제작자 등으로 신분이 오락가락 바뀌었다. 그렇지만 소설 집필에 있어서는 참으로 게으른 인간이다. 소설가로 등단한 지 22년 만에 단편소설 8편을 묶은 작품집을 출간하기 때문이다.

개인적으로 소설집 출간이 참으로 기쁘다. 내 소설가 20여 년 인생을 한 단계 매듭짓는 느낌이다. 작품집 출간에 앞서 그동안 나를 지탱하게 도움을 주신 많은 선후배 동료 지인들과 사랑하는 가족이 생각난다. 그중에서도 나의 학생운동 멘토이자 친구 고 신영일, 5월항쟁의 멘토 고 윤상원, 고 김영철 열사, 사회운동 멘토 고 노금노 님들의 얼굴이 떠오른다. 그 외 문화운동 멘토 황석영 작가와 지역사회운동 멘토 선후배 동료들, 작가회의, 소설가협회, 푸른솔합창단, 일촌공동체 등 함께하는 지인들께 다시 감사의 인사를 드린다. 그리고 지인들께 내년부터는 반드시 일 년에 장편소설 1권씩을 쓰겠다는 약속을 드린다.

2019. 12.

전용호

오리발 참전기 전용호 소설집

초판1쇄 찍은 날 | 2019년 12월 2일
초판1쇄 펴낸 날 | 2019년 12월 10일

지은이 | 전용호
펴낸이 | 송광룡
펴낸곳 | 문학들
등록 | 2005년 8월 24일 제 2005 1-2호
주소 | 61489 광주광역시 동구 천변우로 487(학동) 2층
전화 | 062-651-6968
팩스 | 062-651-9690
전자우편 | munhakdle@hanmail.net
블로그 | blog.naver.com/munhakdlesimmian
값 12,000원

ISBN 979-11-86530-82-5 03810

·이 책은 광주광역시. 광주문화재단 의
  GWANGJU CITY
  2019년도 지역문화예술특성화지원사업으로 지원 받아 발간되었습니다.